Heinrich der Glîchezâre

Reinhart Fuchs

Mittelhochdeutsch / Neuhochdeutsch

Herausgegeben, übersetzt
und erläutert
von Karl-Heinz Göttert

Philipp Reclam jun. Stuttgart

Dem mittelhochdeutschen Text liegt folgende Ausgabe zugrunde: Das mittelhochdeutsche Gedicht vom Fuchs Reinhart. Nach den Casseler Bruchstücken und der Hs. Cod. pal. germ. 341 hrsg. von Georg Baesecke. 2. Aufl. bes. von I. Schröbler. Halle (Saale) 1952. (ATB 7.)

RECLAMS UNIVERSAL-BIBLIOTHEK Nr. 9819

Bibliographisch ergänzte Ausgabe 2005
Gesamtherstellung: Reclam, Ditzingen. Printed in Germany 2011

ISBN 978-3-15-009819-6

www.reclam.de

Vorbemerkung

Das mittelhochdeutsche Gedicht vom Fuchs Reinhart ist uns (fast) vollständig nur in einer späten Bearbeitung überliefert, die durch zwei Handschriften des 14. Jahrhunderts (Cod. pal. germ. 341 der Universitätsbibliothek Heidelberg [Sigle P] und Cod. 1 der Metropolitanbibliothek im ungarischen Kalocza [Sigle K]) repräsentiert wird. Die Auffindung dem Original offenbar sehr nahestehender Fragmente (MS pot. 8° 1 der Landesbibliothek Kassel [Sigle S]) hat ergeben, daß die jüngere Fassung, wie es im Text selbst heißt (vgl. die Verse 2249 ff.), im wesentlichen eine sprachliche Glättung vorgenommen, im ganzen aber die ursprüngliche Dichtung erhalten hat. An eine Rekonstruktion des Originals, die lange Zeit umstrittenes Ziel war, ist allerdings nicht zu denken, so daß die letzte Herausgeberin Ingeborg Schröbler sich auf einen nur offenkundige Versehen bessernden Handschriftenabdruck beschränkt. Diese Edition liegt unserm Text zugrunde: Das mittelhochdeutsche Gedicht vom Fuchs Reinhart, nach den Casseler Bruchstücken und der Heidelberger Hs. Cod. pal. germ. 341, hrsg. von Georg Baesecke, 2. Aufl. besorgt von Ingeborg Schröbler. Der Apparat Schröblers mit Nachweis der Auflösungen und Besserungsvorschlägen der älteren Forschung konnte freilich nicht aufgenommen werden. Die offenkundigsten Verderbnisse sind im Text durch – meist von Baesecke vorgeschlagene – Konjekturen ohne näheren Hinweis ersetzt; es handelt sich um die Verse 49, 63, 104, 190, 260, 453, 721, 896, 930, 931, 979, 992, 1065, 1107, 1227, 1559, 1654.

Die Übersetzung folgt nach Lage der Dinge also weithin P. Wo S zur Verfügung steht, rückt P in den Apparat; ebendort finden die nur verstümmelt überlieferten Verse von S ihren Platz. Zur besseren Übersicht sind die Fragmente kursiv gedruckt. Bei der Pfaffenepisode (V. 1687 ff.), in der P mit Sicherheit gegen S der Vorzug gebührt, setze ich in der Übertragung *pfaffe* gegen *gebur*; bei der Verfassernennung in V. 1789 ff. halte ich mich an die mit Hilfe von S vorgenommene Rekonstruktion Düwels. Im übrigen sucht die Übersetzung durch eine möglichst präzise neuhochdeutsche Wiedergabe des mittelhochdeutschen Sprachgewandes dem Sinn des Textes gerecht zu werden, was gelegentlich ein hohes Maß an Freiheit forderte. Allerdings konnte dabei der eigentümliche Charakter des kleinen Werks, die stakkatohaft parataktische Formulierung der Gedanken, die oft überscharfe, ja geradezu ‚freche' Kürze oder gar die – ironisch zu verstehende? – altertümelnde Färbung des Sprachduktus nicht immer gewahrt bleiben. Als ein Versuch in dieser Richtung hat die meisterhafte Versübertragung G. Baeseckes (Reinhart Fuchs. Das älteste deutsche Tierepos aus der Sprache des 12. Jahrhunderts in unsere übertragen, Halle 1926) zu gelten, die jedoch umgekehrt auf Schritt und Tritt Unschärfen in der Wiedergabe des genauen neuhochdeutschen Sinns in Kauf nehmen muß, ein Kompromiß, der uns heute bei einer stärker historisch-distanzierten Anteilnahme an den alten Texten nicht mehr zeitgemäß erscheint. Hier kann zuletzt doch nur der Blick auf die ursprüngliche Gestalt selbst ein volles Verständnis ermöglichen.

Um dabei eine zusätzliche Hilfe zu geben, wurden Anmerkungen hinzugefügt, die im wesentlichen drei Aspekte behandeln: Zunächst galt es, Textverderbnisse und die Besserungsmöglichkeiten aufzuzeigen. Weiter wird auf sprachlich schwierige bzw. interessante Erscheinungen verwiesen. Schließlich sind Sacherklärungen aufgenommen, wie sie sich vor allem aus der europäischen Tradition der Tierepik ergeben. Daß bei der Auswahl Subjektivität, ja gelegentlich Zufälligkeit den Ausschlag gaben, kann ich nur eingestehen. Um jedoch den Zusammenhang nicht aus den Augen zu verlieren, versucht schließlich ein Nachwort, einige wesentliche Punkte näher auszuführen und den Blick für die literarischen Probleme unserer Dichtung zu öffnen. Eine knappe Zusammenstellung der Texte und Literatur soll zu weiterer Beschäftigung dienen und anregen.

Heinrich der Glîchezâre

Reinhart Fuchs

Ditz buch heizet vuchs Reinhart
Got gebezzer vnser vart

UErnemet vremde mere[1],
die sint vil gewere,
von eime tiere wilde,
da man bi mag bilde
nemen vmme manige dinch. 5
iz keret allen sinen gerinch
an trigen vnd an chvndikeit[2],
des qvam iz dicke in arbeit.
Iz hate vil vnchvste erkant
vnd ist Reinhart vuchs genant. 10

Nv sol ich evch wizzen lan,
wa von die rede ist getan.
ein gebvre vil riche
der saz gemeliche
bei einem dorfe vber eim velt, 15
da hat er erbe vnde gelt,
korn vnde hirsez genvc,
vil harte eben gienc sin pfluc.
der was geheizen Lanczelin,
babe Rvczela daz wip sin. 20
er hatte eine groze clage:
er mvste hveten alle tage
siner hvner vor Reinharte.
sin hove vnde sin garte
waz niht bezvnet zv vrvmen. 25
da von mvst er dicke kvmen
zv schaden, den er vngerne sach.
babe Rvnzela zv im sprach:
‚alder govch Lanzelin,
nv han ich der hvener min 30
von Reinharte zehen verlorn,

Dieses Buch ist nach dem Fuchs Reinhart benannt;
möge uns Gott unsern Weg erleichtern!

Hört her auf die unerhörten Geschichten –
die dennoch ganz zuverlässig sind –
von einem außergewöhnlichen Tier;
daran kann man sich
in vielerlei Hinsicht ein Beispiel nehmen. 5
Es richtet sein ganzes Sinnen und Trachten
auf Betrug und schlaue Winkelzüge,
weshalb es oft genug in Bedrängnis geriet.
Auf vielerlei Bosheit hat es sich wohl verstanden,
sein Name aber ist Reinhart Fuchs. 10
Nun muß ich euch sagen,
worum es eigentlich geht.
Ein sehr wohlhabender Bauer
wohnte behaglich
in der Nähe eines Dorfes auf seinem Acker, 15
wo er Besitz und Vermögen hatte;
Korn und Hirse waren in Fülle vorhanden,
und bequem ging ihm sein Pflug voran.
Er hieß Lanzelin,
Mütterchen Ruozela seine Frau. 20
Er hatte aber Grund zu großen Klagen,
denn täglich mußte er
seine Hühner vor Reinhart in acht nehmen.
Sein Hof und sein Garten
waren nämlich ohne schützenden Zaun. 25
Deshalb trug er oft
Schaden davon, was ihm gar nicht recht war.
Mütterchen Ruozela sagte deshalb zu ihrem Mann:
„Alter Dummkopf Lanzelin,
jetzt habe ich schon zehn Hühner 30
durch Reinhart verloren;

daz mvet mich vnde ist mir zorn.'
meister Lanzelin was bescholten,
daz ist noch vnvergolten;
doch er des niht enliez, 35
er tete, als in babe Rvnzela hiez:
einin zvn macht er vil gvt,
dar inne wand er han behvt
Scanteclern vnde sin wip,
den riet Reinhart an den lip. 40
eines tages, do di svnne vf gie,
Reinhart do niht enlie,
ern gienge zv dem hove mit sinnen:
do wolt er einer vnminnen
Scanteclern bereiten, 45
ovch brachten zv erbeiten.
der zvn dovcht in zv dicke vnde ze hoch,
mit den zenen er dannen zoch
einen spachen vnde tucte sich do.
als er niman sach, des was er vro. 50
nu want er sich dvrch den hag,
vil nahen er Schanteclere lag,
sin verchvint[3] Reinhart.
die henne Pinte sin gewar wart.
Scantecler bi der want slief, 55
vor Pinte schre: ‚er!' vnde rief
vnde vloch bi eine swellen
mit andern iren gellen.
Scantecler qvam gerant
vnde hiez si wider zv der want 60
strichen vil schire:
‚irn dvrft vor keinem tiere
nimmer uwer warten
in disem bezvntem garten.
doch bitet got, vil liben wip, 65
daz er mir beschirme minen lip[4].
mir ist getrovmet[5] sware,

das verdrießt mich und macht mich wütend."
Meister Lanzelin war damit übel geschmäht,
was noch immer ungebüßt ist.
Aber er machte sich daran, 35
zu tun, was ihm Mütterchen Ruozela befohlen hatte:
er errichtete einen vortrefflichen Zaun,
in dessen Schutz er
Scantecler und seine Frauen wohlbehütet glaubte,
sie, denen Reinhart so lange nach dem Leben getrachtet
hatte. 40

Eines Tages aber, als gerade die Sonne aufging,
konnte es Reinhart nicht lassen,
mit üblen Gedanken doch wieder zum Hof zu gehen;
dort wollte er Scantecler eine böse Überraschung
bereiten 45
und brachte ihn auch wirklich in eine schlimme Lage.
Da der Zaun ihm zu dicht und zu hoch schien,
zog er mit den Zähnen
ein dürres Holzstück heraus und duckte sich.
Als er niemanden sah, war er wohlgemut: 50
sogleich wand er sich durch die Hecke;
ganz dicht lag er neben Scantecler,
er, Reinhart, sein Todfeind.
Da wurde die Henne Pinte auf ihn aufmerksam.
Scantecler schlief ja direkt an der Wand, 55
und so schrie Frau Pinte laut auf „Herr!"
und flog auf eine Stange,
die Nebenfrauen mit ihr.
Scantecler eilte herbei
und befahl ihnen, 60
sogleich zur Wand zurückzufliegen:
„Ihr braucht
euch in diesem Gehege
vor keinem Tier in acht zu nehmen.
Doch bittet Gott, meine lieben Frauen, 65
daß er mich beschützt.
Ich habe nämlich einen schweren Traum gehabt –

daz sag ich evch ze ware,
wie ich in einem roten bellitz solte sien,
daz hovbetloch was beinein. 70
ich vurchte, daz sin arbeit.
dem heiligen engel sei iz geseit,
der erschein mirs zv gvte!
mir ist swere ze mvte.‘
vrowe[6] Pinte sprach: ‚er vnde trvot, 75
ich sach sich regen in ienem chruot:
mich entrigen mine sinne,
hi ist ich enweiz was vbeles inne.
der riche got beschirme dich!
mir gat vber erklich. 80
mir grovwet so, ich vurchte, wir
ze noten[7] komen, daz sag ich dir.‘
Scantecler sprach: ‚sam mir min lip,
mer verzaget ein wip,
danne tvn viere man. 85
dicke wir vernvmen han,
daz sich erscheinet, daz ist war,
manic trovm vber siben iar.‘
vor Pinte sprach: ‚lazet ewern zorn
vnde vliget vf disen dorn. 90
gedenket wol, daz unser kint
leider harte cleine sint.
verlusest dv, herre, dinen lip,
so muz ich sin ein rvwic wip
vnd vmberaten immer mer. 95
mir tvt min herze vil wundern we[ ],
wen ich so sere vurchte din.
nv beschirme dich vnser trehtin!‘
Scantecler vf den dorn vlovch,
Reinhart in er abe trovch. 100
Pinte schire vliende wart,
vnder den dorn lief Reinhart.
Scantecler im ze hohe saz,

das sage ich euch wahrhaftig –,
daß ich in einem roten Pelz steckte,
dessen Halsöffnung aus Knochen bestand; 70
ich fürchte, das bedeutet Unannehmlichkeiten.
Dem heiligen Engel sei es gesagt:
er möge mir's zum Guten wenden –
mir ist so schwer ums Herz."
Frau Pinte erwiderte: „Herr und Geliebter, 75
ich habe gesehen, wie sich in dem Kraut dort ewas bewegt
hat:
wenn mich meine Sinne nicht betrügen,
dann braut sich hier im Hof wer weiß was Übles zusammen.
Der mächtige Gott behüte dich!
Es überkommt mich ganz schlimm; 80
ich habe ein Grauen und die Furcht, daß wir
in Bedrängnis geraten, kann ich dir nur sagen."
Scantecler meinte: „Bei meinem Leben,
eine einzige Frau hat doch mehr Angst
als vier Männer. 85
Oft haben wir ja gehört,
daß sich viele Träume in der Tat
erst nach sieben Jahren erfüllen."
Frau Pinte entgegnete: „Seid nicht mehr zornig
und fliegt dort auf den Ast. 90
Bedenkt recht, daß unsere Kinder
leider noch sehr klein sind:
Würdest du, Herr, dein Leben verlieren,
müßte ich eine traurige Witwe sein,
für immer der Not ausgeliefert. 95
Ich bin im tiefsten Herzen betroffen,
denn ich ängstige mich so sehr um dich.
Behüte dich nur unser Herr!"
Scantecler flog auf den Ast,
von dem ihn Reinhart dann doch herabholte. 100
Pinte ergriff sogleich die Flucht,
und schon erschien Reinhart unter dem Ast.
Scantecler saß ihm aber zu hoch,

Reinhart begonde uben baz
sine liste, die er hat. 105
er sprach: ,wer ist, der da vf stat?
bistv daz, Sengelin?'
,nein ich', sprach Scantecler, ,ich enpin;
also hiez der vater min.'
Reinhart sprach: ,daz mac wol sin. 110
nv rewet mich dines vater tot,
wen der dem minnisten ere bot;
wan trewe vndir kvnne[8]
daz ist michel wunne.
dv gebares zv vntare, 115
daz sag ich dir zware.
din vater was des minen vro,
ern gesaz svst hohe nie also,
gesaech er den vater min,
erne vlvge zv ime vnde hiez in sin 120
willekvmen, ovch vermeit er nie,
ern swunge sine vitichen ie,
iz were spate oder vru,
die ovgen tet er beide zv
vnde sang im als ein vrolichez hvn.' 125
Scantecler sprach: ,daz wil ich tvn,
iz larte mich der vater min:
dv solt groz wilkvmen sin.'
die vitich begond er swingen
vnde vrolich nider springen. 130
des was dem toren ze gach,
daz gerowe in sere dar nach.
slinzende er singende wart,
bi dem hovbete nam in Reinhart.
Pinte schrei vnde begonde sich missehaben, 135
Reinhart tet niht danne draben
vnde hvb sich wundernbalde
rechte hin gegn dem walde.
den schal vernam meister Lanzelin,

so daß Reinhart sich auf seine Listen verlegte,
über die er ja verfügt. 105
Er fragte: „Wer steht dort oben?
Bist du es etwa, Sengelin?“
„Nein“, erwiderte Scantecler, „der bin ich nicht;
so hieß mein Vater.“
Reinhart fuhr fort: „Das kann schon so sein. 110
Mir tut der Tod deines Vaters sehr leid,
zumal er sogar dem Geringsten seine Achtung erwies;
gerade Treue unter Verwandten
ist doch eine wahre Freude;
du hingegen bist allzu zurückhaltend, 115
muß ich gestehen.
Dein Vater freute sich immer über meinen
und saß nie derart hoch;
wenn er meinen Vater sah, ließ er es sich nicht nehmen,
zu ihm hinzufliegen und ihn 120
willkommen zu heißen; ja, er tat das nie,
ohne mit den Flügeln zu schlagen;
ob früh oder spät –
er schloß dabei die Augen
und sang ihm etwas vor, wie es sich für ein frohes Huhn
gehört.“ 125
Scantecler sagte: „Das werde auch ich tun,
denn mein Vater lehrte es mich so;
du sollst mir hochwillkommen sein.“
Darauf schlug er mit den Flügeln
und sprang wohlgemut herunter. 130
Damit war der Tor allzu eifrig,
was ihm sehr rasch leid tun sollte.
Sobald er blinzelnd seinen Gesang erhob,
packte ihn Reinhart beim Kragen.
Pinte schrie auf und lamentierte erbärmlich. 135
Doch Reinhart trabte
eilends davon
in Richtung auf den Wald.
Das Geschrei aber hörte Meister Lanzelin

er sprach: ‚owe der hvner min!‘ 140
Scantecler sprach ze Reinharte:
‚war gahet ir svst harte?
wes lazet ir evch disen gebvr beschelten?
mvgt ir iz im niht vergelten?‘
‚ia ich, sam mir!‘, sprach Reinhart, 145
[ ] ‚ir gat ein vppige vart.‘
Scantecler was vngerne do.
als er im entweich, da want er sam vro
den hals vz Reinhartes mvnde.
er vlovc zv der stvnde 150
vf einen bovm, do er genas.
Reinhart harte trvric was.
zv hant Scantecler sprach,
do er Reinharten vnder im sach:
‚dv hast mir gedinet ane danc, 155
der weck dovchte mich ze lanc,
da dv mich her hast getragen.
ich wil dir fvrwar sagen:
dvne brengest mich dar wider niht,
swaz darvmme mir geschiht.‘ 160
Reinhart horte wol den spot,
er sprach: ‚er ist tvmb, sam mir got,
der mit schaden richit,
daz man im gesprichit,
oder swer danne ist claffens vol, 165
so er von rechte swigen sol.‘
do sprach Scantecler: ‚er were
weizgot nicht alwere[9],
swer sich behvetete ze aller zit.‘
do schiet sich der spot vnde ir strit. 170
meister Lanzelin gienc da her nach,
Reinharten wart dannen gach.
im was ane maze zorn,
daz er hatte verlorn

und rief: „O weh, meine Hühner!" 140
Scantecler wandte sich Reinhart zu:
„Wohin so eilig?
Weshalb laßt Ihr Euch von diesem Bauern beschimpfen?
Könnt Ihr es ihm etwa nicht heimzahlen?"
„Bei meiner Treu", schrie Reinhart prompt los, 145
„Ihr macht Euch ganz unnötig auf den Weg!"
Scantecler war höchst unfreiwillig an seinem Ort:
als jener ihm so nachgab und beim Reden einen Augenblick
losgelassen hatte, wand er überglücklich
den Hals aus Reinharts Maul
und flog, ohne zu zögern, 150
auf einen rettenden Baum.
Reinhart war tief betrübt.
Scantecler aber redete ihn sogleich an,
als er ihn nun unter sich erblickte:
„Du hast mir ganz ohne meine Bitte gedient, 155
außerdem fand ich den Weg zu lang,
den du mich hierher getragen hast.
Ich kann dir ehrlich gestehen:
zurück wirst du mich nicht bringen,
komme, was wolle." 160
Reinhart merkte natürlich den Hohn
und meinte: „Bei Gott, dumm ist,
wer zu seinem eigenen Schaden Rache übt,
wenn man über ihn herzieht,
oder wer dann loskläfft, 165
wenn er besser schweigen würde."
Scantecler antwortete: „Der wäre
weiß Gott schlauer als schlau,
der sich immer in acht zu nehmen wüßte."
Damit waren Hohn und Streit zu Ende. 170
Meister Lanzelin war schon hinter ihm her,
so daß es Reinhart eilig hatte.
Er war maßlos zornig,
daß er um seinen schönen Bissen gekommen war,

sin inbiz, daz er wande han. 175
vil harte in hvngern began.
Do gehort er ein meyselin.
er sprach: ‚got grveze evch, gevater[10] min!
ich bin in einem geluste,
daz ich gerne chvste, 180
wan, sam mir got der riche,
dv gebares zv vremdicliche.
gevatere, dv solt pflegen treuwen!
nv mveze iz got rewen,
daz ich ir an dir niht envinde! 185
sam mir die trewe, die ich dinem kinde[ ]
bin schvldic, daz min bate ist,
ich bin dir holt ane arge list!‘
die meyse sprach: ‚Reinhart,
mir ist vil manic ubel [ ]art 190
von dir gesaget dicke.
ich vurchte din ovgenblicke,
di sint grvelich getan.
nv laz si ze samen gan,
so kvsse ich dich an dinen mvnt 195
mit gvtem willen dristvnt.‘
Reinhart wart vil gemeit
von der cleinen leckerheit[11],
er vrevte sich vaste.
dannoch stvnt sin gevatere ho vf einem aste 200
Reinhart blinzete sere
nach siner gevatern lere.
ein mist si vnder irn fvz nam,
von aste ze aste si qvam
vnde liez ez im vallen an den mvnt. 205
do wart ir vil schire chvnt
irz gevatern schalkeit:
die zene waren ime gereit,
daz mist er do begripfte,
sin gevater im entwischte. 210
er hat harte grozen vliz

den er schon als sein Eigentum betrachtet hatte. 175
Gewaltig knurrte ihm der Magen.
Da hörte er eine kleine Meise.
Er redete sie an: „Grüß Gott, liebes Kusinchen!
Ich bin in einer Laune,
daß ich am liebsten küssen möchte; 180
aber, beim mächtigen Gott,
du benimmst dich so eigentümlich.
Kusinchen, du mußt deine Treue unter Beweis stellen.
Das müßte Gott selbst beleidigen,
wenn ich sie an dir nicht finden könnte! 185
Bei der Treue, die ich deinem Kind,
das ja mein Pate ist, schuldig bin:
ich bin dir ohne Arg zugetan!"
Die Meise erwiderte: „Reinhart,
man hat mir oft genug viele üble Dinge 190
von dir erzählt.
Ich fürchte mich schon vor deinen blitzenden Augen,
die ganz schaurig aussehen.
Kneif sie zusammen,
dann will ich dich dreimal 195
mit bestem Willen aufs Maul küssen."
Reinhart war hochvergnügt
in Anbetracht der hübschen Hinterlist;
er freute sich mächtig.
Noch freilich saß seine Kusine auf hohem Ast, 200
und Reinhart blinzelte eifrig,
wie er geheißen worden war.
Da ergriff sie mit ihrem Fuß ein Stückchen Dreck,
hüpfte von Ast zu Ast
und ließ es ihm genau ins Maul fallen. 205
Und schon erkannte sie
ihres Vetters Bosheit:
mit gebleckten Zähnen
schnappte er nach dem Dreck –
doch sein Kusinchen entwischte ihm. 210
So hatte er übergroßen Fleiß

vm einen swachen inbiz.
des wart er trvric vnde vnvro,
er sprach: ‚herre, wie kvmt ditz so,
daz mich ein voglin hat betrogen? 215
daz mvet mich, daz ist vngelogen.‘
REinhart kvndikeite pflac,
doch ist hevte niht sin tac,
daz iz im nach heile mvege ergan.
do sach er vil ho stan 220
einen raben, der hiez Dizelin,
der hatte mit den listen sin
einen neuwen kese gewunnen.
des begond er im vbel gvnnen,
daz er in solde pizin an in. 225
do kart er allen sinen sin,
daz ern im abe betrvge
mit einer kvndiclichen lvge.
Reinhart vnder den bovm saz,
da der rabe den kese vf gaz. 230
er sprach: ‚bist dv diz, Dizelin?
nv frewet sich der neve[12] din,
daz ich dich bi mir han gesehen,
mir en mochte liber niht geschehen
an deheiner slachte dinge. 235
ich horte gerne din singen,
ob ez were dines vater wise,
der klafte wol ze prise.‘
do sprach Dizelin:
‚ichn schelte nicht den vater min. 240
vur war sag ich dir daz:
izn gesanc nie dehein min vordern baz,
den ich tvn, des bin ich vro.‘
lvte began er singen do,
daz der walt von der stimme erdoz. 245
Reinhartes bete wart aber groz,
daz er erhorte sine wise.
do vergaz er vf dem rise

auf einen dürftigen Happen verwandt.
Darüber wurde er tief betrübt
und sagte: „Herrgott, wie kommt es nur,
daß mich ein Vöglein überlistet hat? 215
Das ärgert mich wahrhaftig gewaltig."
So trieb es Reinhart mit seinen Tücken;
aber heute ist nicht der Tag,
an dem es ihm glücklich von der Hand geht.
Nun erblickte er hoch oben 220
einen Raben mit Namen Diezelin;
der hatte listig
ein Stück Käse ergattert.
Jener aber gönnte ihm überhaupt nicht,
daß er ihn allein verzehren sollte. 225
So richtete er sein ganzes Trachten darauf,
wie er ihn
mit einer listigen Lüge darum bringen könnte.
Reinhart setzte sich unter den Baum,
auf dem der Rabe den Käse verspeisen wollte. 230
Er begann: „Bist du es, Diezelin?
Wie freut sich dein Vetter;
Lieberes, als dich bei mir zu sehen,
könnte mir gar nicht passieren,
sei es auch weiß Gott was. 235
Ich würde gerne deinen Gesang hören,
ob er wie deines Vaters Weise wäre,
denn der verstand vorzüglich zu schmettern."
Da gab Diezelin zur Antwort:
„Ich will meinem Vater nichts Übles nachreden, 240
aber ich kann dir versichern,
daß keiner meiner Vorfahren jemals besser gesungen hat
als ich; darauf bin ich auch stolz."
Darauf stimmte er einen mächtigen Gesang an,
daß der Wald von dem Schall erbebte. 245
Und noch einmal bat Reinhart ihn herzlich,
ihn auch seine eigene Weise hören zu lassen.
Da vergaß jener oben auf dem Ast

des keses, do er erhvb daz liet.
done wande Reinhart niht, 250
ern solde inbizin san ze stvnt.
der kese viel im vur den mvnt.
Nv horet, wie Reinhart,
der vngetrewe hovart[13],
warb vmb sines neven tot. 255
daz tet er doch ane not.
Er sprach: ‚lose, Dizelin,
hilf mir, trvt neve min!
dir ist leider miner not niht kvnt:
ich wart hvete vru wunt; 260
der kese liet mir ze nahen bi.
er smecket sere, ich vurcht, er si
mir zv der wunden schedelich.
trvt neve, nv bedenke mich!
dines vater trewe waren gvt, 265
ovch hore ich sagen, daz sippeblvt
von wazzere niht vertirbet.
din neve alsvst erstirbet.
daz macht dv erwenden harte wol.
vom stanke ich grozen kvmmer dol.‘ 270
Der rabe zehant hinnider vlovc,
dar in Reinhart betrovc.
er wolde im helfen von der not
dvrch trewe, daz was nach sin tot.
Reinhart heschen began. 275
der rabe wolde nemen dan
den kese, er wandes haben danc.
Reinhart balde vf spranc,
gelich als er niht were wunt.[14]
do tet er sinem neven kvnt 280
sin trewe, ern weste niht, was er an im rach:
vil[15] er im do vz brach
der vedern, daz er im entran mit not,
der neve was Reinharte ze rot[16].

den Käse, als er mit dem Lied begann.
Reinhart aber hielt es für richtig, 250
sich nicht sogleich über ihn herzumachen,
obwohl der Käse vor seinem Maul lag.
Nun hört, wie Reinhart,
der treulose Kerl,
auch noch nach dem Leben seines Vetters trachtete, 255
und das, obwohl ihn aber auch gar nichts dazu nötigte.
Er sagte: „Hör zu, Diezelin:
hilf mir, lieber Vetter!
Du weißt leider über meine Not nicht Bescheid:
ich habe mich heut früh verletzt; 260
nun liegt mir der Käse allzu nahe.
Er stinkt scheußlich, und ich fürchte, daß dies
meiner Wunde schadet.
Lieber Vetter, denk doch an mich.
Die Treue deines Vaters war ja so zuverlässig, 265
und ich höre auch reden, daß Sippenblut
sich nicht verwässern läßt;
sonst muß dein Vetter noch sterben.
Du könntest das freilich sehr leicht abwenden;
ich leide ja so fürchterlich unter dem Gestank." 270
Da flog der Rabe sogleich hinunter,
wo ihn Reinhart dann betrog.
Aus Treue wollte er ihm aus seiner Bedrängnis helfen,
was ihn beinahe das Leben gekostet hätte.
Reinhart fing an zu schluchzen. 275
Der Rabe wollte den Käse fortnehmen
und glaubte, dafür Dank zu ernten.
Reinhart aber sprang rasch auf,
ganz so, als wäre er gar nicht verletzt.
So zeigte er seinem Vetter, wie es mit seiner Treue bestellt war, 280
und wußte nicht einmal selber, was er an ihm rächte:
Eine Menge Federn riß er ihm aus,
so daß jener gerade noch davonkam;
jetzt hatte er Reinharts Hinterlist erkannt.

do wolde vlihen Reinhart. 285
do was kvmen vf sine vart
ein ieger mit hvnden vil gut,
des wart trvric sin mvt.
er liez in svchen viere,
die vunden in vil schire. 290
den inbiz mvst er da lan,
sin neve svlt in von rechte han.
do sprvngen an in die hvnde.
swaz sin neve kvnde
ze tvn, daz im tete we, 295
daz tet er: vaste er vf in schre,
wan erzvrnet was sin mvt.
er sprach: ‚daz ein gebvr dem andern tvt,
kvmet dicke lon, des hore ich iehen.[17]
neve, also ist evch geschen.‘ 300
Reinhart vme die hvnde lief,
der rabe ovch die wile niht enslief,
er wisete die hvnde vf sinen zagel.
ern dorfte niht haben erklichern hagil:
die hvnde begvnden in rvppfen, 305
der ieger vaste stoppfen.
do was im kvndikeite zit.
er sihet, wo ein rone lit,
dar vnder tet er einen wanc.
manic hvnt dar vber spranc. 310
der ieger hetzte balde,
Reinhart gienc ze walde.
Die katze Diepreht im wider gienc,
Reinhart si al vmbe vienc.
er sprach: ‚willekvme, neve, tvsent stvnt! 315
daz ich dich han gesehen gesvnt,
des bin ich vro vnde gemeit.
mir ist von dir snellekeit vil geseit,
daz solt dv mich lazen sehen.
ist iz war, so wil ich iz iehen.‘ 320
Dipreht sprach do:

Reinhart wollte fliehen, 285
denn inzwischen war
ein Jäger mit tüchtigen Hunden hinter ihm her;
darüber verließ ihn der Mut.
Zu vieren ließ ihn jener suchen,
und sie fanden ihn nur zu rasch. 290
Sogar den Bissen mußte er zurücklassen;
sein Vetter sollte ihn jetzt bekommen, wie es sich gehörte.
Schon sprangen Reinhart die Hunde an.
Was sein Vetter vermochte,
um ihm zu schaden, 295
das tat er; heftig schrie er auf ihn ein,
denn er war höchst aufgebracht:
„Was einer dem andern antut,
bringt oft entsprechenden Lohn, höre ich sagen.
Genauso ist es Euch, Vetter, geschehen." 300
Reinhart schlug vor den Hunden einen Haken,
aber der Rabe war auch nicht faul,
sondern wies jene auf seinen Schwanz hin.
Schlimmeres konnte ihm gar nicht passieren:
die Hunde rupften ihn heftig, 305
und der Jäger hetzte sie noch an.
So war es höchste Zeit für eine List.
Er erblickt einen umgestürzten Baumstamm
und springt rasch darunter.
Die Hunde sprangen alle darüber, 310
der Jäger eiligst hinterher,
während Reinhart in den Wald lief.
Dort begegnete ihm der Kater Diepreht;
Reinhart umarmte ihn voller Freundlichkeit
und begann: „Tausendmal willkommen, Vetter! 315
Daß ich dich so gesund vor mir sehe,
freut mich ungemein.
Man hat mir viel von deiner Schnelligkeit berichtet;
die solltest du mir einmal vorführen.
Ist es wirklich so, dann will auch ich sie überall rühmen." 320
Diepreht erwiderte:

'neve Reinhart, ich bin vro,
daz dir von mir ist wol geseit.
min dinest sol dir sin bereit.'
Reinhart vntreuwen pflac, 325
er wisete in, da ein drvck lac.
iz was ein bose neveschaft.
'nv wil ich sehen dine kraft!'
iz was ein enges phedelin,
er sprach: 'nv lovf, trvt neve min!' 330
Dipreht weste wol die valle.
er sprach: 'nv beschirme mich sente Galle
vor Reinhartes vbelen dingen.'
vber die vallen begond er springen
vnde lief harte sere. 335
an dem widerkere
sprach zv im Reinhart:
'nie kein tier sneller wart,
denne dv, trvt neve, bist.
ich wil dich leren einen list[18]: 340
dv solt so hohe sprvnge ergeben,
dv macht verlisen wol din leben,
bestet dich ein stritiger hvnt.
mir ist svst getan geverte[19] wol kvnt.'
Dipreht sprach: 'dv endarft noh niht iehen: 345
'lauf nach mir', ich laz dich sehen
edele sprvnge ane lygen.'
sie wolden beide ein ander betrigen.
Reinhart lief sinem neven nach,
donen was dem vorderen niht gach. 350
Dyprecht vber die vallen spranc
vnde gestvnt ane widerwanc.
an sinen neven stiez er sich,
deiswar, daz was niht vnbillich;
der vuz im in die vallen qvam. 355
Diprecht do vrlovp nam

„Vetter Reinhart, es freut mich,
daß man dir von mir so Gutes berichtet hat;
ich will dir gerne zu Diensten sein."
Reinhart war aber voller Falschheit; 325
er wies ihn in die Richtung, wo eine Wildfalle aufgestellt
war –
es war schon eine schlimme Verwandtschaft!
„Nun werde ich ja deine Stärke sehen."
Vor ihnen lag ein ganz schmaler Pfad,
und Reinhart rief: „Lauf zu, lieber Vetter!" 330
Diepreht aber kannte die Falle genau
und betete: „Sankt Gallus möge mich
vor Reinharts üblen Machenschaften behüten."
Er übersprang die Falle
und lief, so schnell er konnte. 335
An der Wendemarke
sagte Reinhart zu ihm:
„Kein Tier ist je schneller gelaufen
als du, lieber Vetter.
Ich will dich aber noch eine besondere Kunst lehren: 340
du mußt ganz hoch springen,
sonst kommst du noch ums Leben,
wenn ein bissiger Hund hinter dir her ist.
Ich kenne mich in solchen Begegnungen gut aus."
Diepreht antwortete: „Wart nur erst; 345
lauf einmal hinter mir her, dann zeige ich dir
ungelogen die schönsten Sprünge."
Sie hatten aber jetzt beide vor, sich zu betrügen.
Reinhart lief hinter seinem Vetter her,
wobei es dem ersten gar nicht besonders eilig war. 350
Diepreht übersprang die Falle abermals
und blieb dann wie angewurzelt stehen.
So ließ er seinen Vetter gegen sich prallen –
wahrlich keine unrechte Tat! –,
so daß dem der Fuß in die Falle geriet. 355
Diepreht verabschiedete sich darauf

vnde bevalch in Lucifere.
dannen hvb er sich schire.
Reinhart bleib in grozer not,
er wante, den grimmigen tot 360
vil gewislichen han.
do gesach er den weideman,
der die drvch dar het geleit.
do bedorfte er wol kvndikeit:
daz hovbet er vf di drvch hieng. 365
der gebvr lief balde vnde gieng.
die kele was im wiz als ein sne:
vumf schillinge oder me
want er vil gewis han.
die axs er vfheben began 370
vnde slvc, swaz er mochte erziehen.
Reinhart mochte niht gevliehen,
mit dem hovbte wanckt er hin baz,
an der zit tet er daz.
der gebvr slvc, daz die drvhe brach, 375
Reinharte nie liber geschach:
er wonte han verlorn daz leben,
sine kel was vm vunf schillige geben.
Reinhart sich niht sovmte,
die herberge er rovmte, 380
in dvchte da vil vngemach.
der gebvr im iemerliche nach sach.
er begonde sich selben schelden,
er mvste mit anderm gvte gelden.
Do Reinhart die not vberwant, 385
vil schire er den wolf Ysengrin vant.
do er in von erst ane sach,
nv vernemet, wie er do sprach:
‚got gebe evch, herre, gvten tac.
swaz ir gebietet vnde ich mac 390
evch gedinen vnde der vrowen min,
des svlt ir beide gewis sin.

und empfahl ihn Lucifer.
Rasch eilte er davon.
Reinhart blieb in großer Bedrängnis zurück:
er sah den schrecklichen Tod 360
vor Augen.
Schon erblickte er den Jäger,
der die Wildfalle aufgestellt hatte.
Jetzt kam alles auf eine List an:
er legte den Kopf über die Falle. 365
Eilig lief der Bauer herbei;
Reinharts Kehle schimmerte weiß wie Schnee:
mindestens fünf Schillinge
glaubte er schon gewonnen zu haben.
Er erhob die Axt 370
und schlug zu, so fest es ging.
Reinhart konnte nicht entfliehen,
zog aber den Kopf
noch gerade zur rechten Zeit weg.
Der Bauer hatte so fest zugeschlagen, daß die Falle
zerbrach. 375
Nie war Reinhart etwas Besseres passiert,
hatte er doch schon sein Leben verloren geglaubt,
nachdem seine Kehle auf fünf Schillinge geschätzt war.
Reinhart zögerte keinen Augenblick,
sondern verließ sein Quartier, 380
das ihm höchst ungemütlich vorkam.
Der Bauer aber blickte ihm jammernd nach
und schimpfte auf sich selbst;
jetzt mußte er mit anderer Münze bezahlen.
Als Reinhart diese Fährnis überstanden hatte, 385
stieß er auf den Wolf Isengrin.
Hört, was er sagte,
als er ihn nur eben erblickt hatte:
„Gott beschere Euch, Herr, einen angenehmen Tag.
Was Ihr zu Eurer und meiner hohen Herrin 390
Diensten mir befehlt,
das werde ich zuverlässig erfüllen.

ich bin dvrch warnen her zv ev kvmen,
wan ich han wol vernumen,
daz evch hazzet manic man. 395
wolt ir mich zv gesellen han?
ich bin listic, starc sit ir,
ir mochtet gvten trost han zv mir.
vor ewere kraft vnde von minen listen
konde sich niht gevristen, 400
ich konde eine bvrc wol zebrechen.‘
do gienc Isengrim sich sprechen
mit sinem wibe vnde mit sinen svnen zwein.
si wurden alle des in ein,
daz er in zv gevatern nam do, 405
des wart er sint vil vnvro.
Reinhart wante sine sinne
an Hersante minne
vil gar vnde den dinest sin.
do hate aber er Ysengrin 410
ein vbel gesinde zv ime genvmen,
daz mvste im ze schaden kvmen.
eines tages, do iz also qvam,
Ysengrin sine svne zv im nam
vnde hvb sich dvrch gewin in daz lant. 415
sin wip nam er bi der hant
vnde bevalch si Reinharte sere
an sine trewe vnde an sine ere.
Reinhart warb vmb di gevatern sin.
do hat aber er Ysengrin 420
einen vbelen kamerere.
hi hebent sich vremde mere.
Reinhart sprach zv der vrowen:
‚gevatere, mochtet ir beschowen
grozen kvmmer, den ich trage: 425
von eweren minnen, daz ist min clage,
bin ich harte sere wunt.‘
‚Tv zv, Reinhart, dinen mvnt!‘

Ich habe mich hierher begeben, um Euch zu warnen;
denn mir ist zu Ohren gekommen,
daß viele Euch hassen. 395
Wollt Ihr mich nicht zum Gefährten nehmen?
Ich bin klug, Ihr seid stark,
und so könntet Ihr eine vortreffliche Ergänzung in mir finden.
Eurer Stärke und meiner Klugheit
kann niemand widerstehen; 400
sogar eine Festung könnte ich erobern."
Isengrin besprach sich darauf
mit seiner Frau und seinen beiden Söhnen.
Sie kamen überein,
daß er ihn als Vetter in die Familie aufnähme, 405
woran er später noch alle Freude verlieren sollte.
Reinhart richtete nämlich sein Sinnen und Trachten
auf die Liebe zu Hersant
und den Minnedienst an ihr.
So hatte Herr Isengrin 410
einen üblen Hausgenossen für sich gewonnen,
was rasch Verderben bringen mußte.
Eines schönen Tages
scharte Isengrin seine Söhne um sich
und zog los, um Beute zu machen. 415
Er nahm seine Frau bei der Hand
und empfahl sie eindringlich
Reinharts Treue und Ehrgefühl an.
Reinhart aber umwarb seine Gevatterin.
Damit hatte Isengrin erst recht 420
einen üblen Kämmerer ausgesucht;
denn nun beginnen unerhörte Geschichten.
Reinhart sagte zu der Herrin:
„Gevatterin, könntet Ihr nur
den großen Schmerz erkennen, den ich dulde: 425
von der Liebe zu Euch, muß ich klagen,
bin ich tief verwundet."
„Halt dein Maul, Reinhart!"

sprach er Ysengrinis wip,
,min herre hat so schonen lip, 430
daz ich wol frvndes schal enpern.
wold aber ich deheines gern,
so werest dv mir doch zv swach.'
Reinhart aber sprach:
,vrowe, ich sol dir liber sin, 435
wer ez an den selden min,
danne ein kvnic, der sine sinne
bewant hat an dirre minne
vnde ivch zv vnwerde wolde han.'
Nv qvam er Ysengrin, ir man. 440
do tet der hobischere[20],
alse der rede niht inwere.
Isengrin ane rovb qvam,
der hvnger ime die vrevde benam.
er saget sinem wibe mere, 445
wie tewere iz an dem velde were:
,mirn wart nie svlcher not kvnt',
er sprach: ,ieglich hirte hat sinen hvnt.'
Reinhart einen gebur ersach,
da von in allen lieb geschach. 450
er trvg einen grozen bachen,
des begonde Reinhart lachen.
er sprach: ,hort her, er Ysengrin!'
,was saget ir, gevater min?'
,mocht ir ienes vleischez iet?' 455
Ysengrin vnde sine diet
sprachen gemeinlichen: ,ia!'
Reinhart hvb sich sa,
do der gebvr hine solde gan.
einen vuz begonde er vf han 460
vnde sere hinken,
er liez den rvcke sinken,
recht als er ime were enzwei.
der gebvre in vaste aneschrei,
den bachen warf er vf daz gras, 465

antwortete Isengrins Frau,
„mein Herr und Gemahl ist so wohlgestalt, 430
daß ich auf einen Liebhaber verzichten kann.
Begehrte ich dennoch einen,
so wärest du mir ohnehin zu armselig."
Reinhart entgegnete:
„Herrin, ich müßte dir eher zusagen – 435
ginge mir das Glück in Erfüllung –
als ein König, der
Eure Liebe suchte
und Euch doch nur auf unwürdige Weise besitzen wollte."
Da trat Herr Isengrin, ihr Mann, hinzu. 440
Der feine Höfling aber tat so,
als ob von gar nichts die Rede gewesen wäre.
Isengrin hatte nichts erbeutet,
so daß der Hunger ihm jede Freude verdarb.
Er erzählte seiner Frau, 445
wie schwer draußen etwas zu bekommen sei:
„Noch nie habe ich so schlimme Zeiten erlebt",
meinte er, „jeder Hirte hat einen Hund bei sich."
Da erblickte Reinhart einen Bauern –
davon sollte allen Freude erwachsen; 450
er trug nämlich einen mächtigen Schinken,
worüber Reinhart strahlte:
„Hört zu, Herr Isengrin!"
„Was sagt Ihr, mein Gevatter?"
„Möchtet Ihr vielleicht von jenem Fleisch dort kosten?" 455
Isengrin und sein Volk
antworteten gemeinsam: „Natürlich!"
Darauf eilte Reinhart zu einer Stelle,
wo der Bauer vorbeikommen mußte.
Er zog einen Fuß an 460
und hinkte sehr;
dazu knickte er den Rücken ein,
als sei er ihm zerschlagen.
Der Bauer schrie heftig auf ihn ein.
Er warf den Schinken ins Gras, 465

nach Reinhartes kel ime gach was.
sin colbe was vreislich.
Reinhart sach vmme sich
vnde zoch in zv dem walde.
Ysingrin hvb sich balde: 470
e dan der gebvre mochte wider kvmen,
so hat er den bachen genvmen
vnd hat in schire vressen[21].
Reinhartes wart vergessen.
der gebvre begond erwinden, 475
er wande den bachen vinden.
da sach er Ysengrin verre stan,
der im den schaden hatte getan.
done was sin clage niht cleine,
ern vant weder vleisch noch gebeine, 480
wen iz allez gezzen was.
nv viel er nider vf daz gras,
vil vaste klait er den bachen.
Ysengrin begonde lachen,
er sprach: ‚wol mich des gesellen min! 485
wi mochte wir baz inbizzen sin?
ich weiz im disez ezzens danch.‘
do weste er niht den nachclanch.
Reinhart qvam spilinde vnde geil[22],
er sprach: ‚wa ist hin min deil?‘ 490
do sprach Ysengrin:
‚vrege di gevatern din,
ob si iht habe behalten, des ir wart.‘
‚nein ich‘, sprach si, ‚Reinhart,
iz dvchte mich vil svze. 495
daz dir got lonen mvze!
vnde zvrne dv niht,
wenne mirs nimmer me geschiht.‘
‚mich dvrstet sere‘, sprach Ysengrin.
‚wollet ir trinken win?‘ 500
sprach Reinhart, ‚des geb ich ev vil.‘
er sprach: ‚dar vmme ich wesen wil

denn ihm war es nur noch um Reinharts Kehle zu tun;
seine Keule sah entsetzlich aus.
Reinhart blickte sich um
und lockte ihn zum Wald hin.
Isengrin machte sich rasch auf den Weg: 470
ehe der Bauer zurückkommen konnte,
hatte er den Schinken weggenommen
und ihn schleunigst verschlungen.
An Reinhart dachte keiner.
Der Bauer gab es endlich auf 475
und glaubte, den Schinken wiederzufinden.
Da sah er Isengrin in der Ferne,
der ihn geschädigt hatte.
Seine Klage war nicht knapp;
weder Fleisch noch Knochen fand er, 480
denn es war alles verschlungen.
Er sank ins Gras
und heulte dem Schinken nach.
Isengrin fing an zu lachen:
„Wohl mir bei diesem Gefährten! 485
Wie hätten wir einen hübscheren Bissen finden können?
Für diese Mahlzeit ist ihm mein Dank gewiß."
Er ahnte aber noch nicht das Ende.
Reinhart näherte sich ganz vergnügt
und meinte: „Wo ist mein Anteil geblieben?" 490
Isengrin antwortete:
„Frag doch deine Gevatterin,
ob sie noch etwas von dem übrig hat, was ihr zustand."
„Nein", sagte diese, „Reinhart,
ich fand es gar zu schmackhaft. 495
Daß es dir Gott lohne!
Zürne nur ja nicht,
denn es soll nicht mehr vorkommen."
„Ich habe großen Durst", meinte Isengrin.
„Wollt Ihr Wein haben?" 500
fragte Reinhart, „ich gebe Euch eine Menge davon."
Isengrin antwortete: „Dafür will ich

din dinst, di wile ich han ditz leben,
macht dv mir des gnvc gegeben.'
Reinhart hvb sich dvrch liste, 505
da er ein mvnche hof weste.
mit im fvr er Ysengrin,
vor Er[ ]sant vnde die svne sin.
zv der kvfen vurte si Reinhart,
Ysengrin da trvnken wart. 510
in sines vater wise sanc er ein liet,
er versach sich keines schaden niht.
die den win solden bewarn,
di sprachen: ,wie ist ditz svst gevarn?
ich wene, wir einen wolf erhort han.' 515
do qvamin schire sehse man,
der iglicher eine stange zoch.
Reinhart dannen balde vloch.
mit slegen gvlden do den win
vor Hersant vnde er Ysengrin, 520
man schenkete in mit vnminnen.
,mocht ich kvmen hinnen,'
sprach er Ysengrin,
,ich wolde sin immer ane win.'
in was da misselvngen. 525
vber einen zovn si sprvngen,
daz tore was in verstanden.
si entrvnnen mit schanden.
do clagt her Ysengrin
den schaden vnde die schande sin: 530
im was zeblvwen sin lip,
erdroschen was ovch sin wip,
sine svne was ez vergangen nieht;
si sprachen: ,vater, iz was ein vnzitick liet
vnde alle die affenheit, 535
daz sol evch vur war sin geseit.'
Reinhart do zv in gienc,

dein Diener sein, solange ich lebe,
wenn du mir nur genug davon gibst."
Mit hinterhältigen Absichten machte sich Reinhart auf den Weg 505
zu einem Mönchshof, den er kannte;
mit ihm kamen Herr Isengrin,
Frau Hersant und seine Söhne.
Reinhart führte sie zum Faß,
wo sich Isengrin betrank. 510
Er sang ein Lied nach der Weise seines Vaters
und dachte an keine Gefahr.
Die den Wein in ihrer Obhut hatten,
horchten auf: „Was ist nur passiert?
Ich glaube, wir haben einen Wolf gehört." 515
Da kamen sogleich sechs Männer,
jeder mit einem Knüppel.
Reinhart entfloh rasch.
Mit Schlägen mußten nun
Frau Hersant und Herr Isengrin für den Wein zahlen; 520
ganz lieblos schenkte man ihnen ein.
„Könnte ich nur herauskommen",
sagte Herr Isengrin,
„dann möchte ich gerne ewig ohne Wein auskommen."
Sie hatten sich gründlich verrechnet. 525
Endlich sprangen sie über einen Zaun,
denn das Tor war ihnen verstellt.
So kamen sie mit Schande davon.
Herr Isengrin klagte
über Schaden und Schande; 530
denn er selbst war zerbleut,
seine Frau verdroschen,
und auch an seinen Söhnen war es nicht vorbeigegangen.
Nun riefen die: „Vater, das war ein höchst unangebrachtes Lied
und eine überflüssige Alberei, 535
das sollt Ihr wirklich wissen."
Da trat Reinhart zu ihnen

er sprach: ‚was ist dise rede hie?'
‚weisgot', sprach Ysengrin,
‚da habe wir viere disen win 540
vil tevre vergolden!
ovch hant mich bescholden
mine svne, daz ist mir zorn.
min arbeit ist an in verlorn.'
Reinhart zoch iz zv gvte, 545
er sprach: ‚gevater, steuwerț ewerm mvte!
ich sag evch gewerliche:
redet min pate tvmpliche,
daz ist niht wunder, dezswar,
von dev er treit noch daz garce har.' 550

Do schiet Reinhart vnde Ysengrin.
vil schire beqvam [ ] Baldewin
der Esel Reinharte,
er was geladen harte.
sin meister liez in vor gan, 555
Reinhart bat in stille stan.
er sprach: ‚sag mir, Baldewin,
dvrch was wilt dv ein mvdinc sin?
wie macht dv vor leste immer genesen?
woldest dv mit mir wesen, 560
ich erlieze dich dirre not
vnde gebe dir gnvc et cetera † . . .[23]

Sinem gevatern er entweich.
Isengrine von dem blvte entsweich.
er sprach: ‚mich rvewet min lip 565
vnde noch me min libes wip.
die ist edel vnde gvt,
deswar, vnde hat sich wol behvt
vor aller slachte vppikeit.
ir was ie die bosheit leit. 570
ovch rewent mich die sune min,

und fragte: „Was bedeuten diese Worte?“
„Weiß Gott“, erwiderte Isengrin,
„wir vier haben diesen Wein 540
sehr teuer bezahlt!
Und obendrein haben mich noch meine Söhne beschimpft,
worüber ich mich besonders ärgere.
Meine ganze Mühe mit ihnen ist hin.“
Reinhart wandte es zum Guten: 545
„Gevatter, kommt nur zu Euch!
Ich sage Euch wahrhaftig:
wenn mein Patenkind so dumm daherredet,
ist das nicht verwunderlich –
sein Fell ist ja noch der reine Flaum.“ 550
Damit trennten sich Reinhart und Isengrin.
Bald darauf begegnete Reinhart
der Esel Balduin.
Er war über die Maßen beladen.
Sein Herr ließ ihn vor sich her gehen; 555
Reinhart bat ihn anzuhalten
und fragte: „Sag nur, Balduin,
weshalb willst du so elend bleiben?
Wie kannst du nur unter dieser Last leben?
Wenn du mit mir kämest, 560
würde ich dich von deiner Mühsal befreien
und dir genug geben etc.

Reinhart ließ seinen Gevatter im Stich,
während Isengrin dabei war, blutüberströmt den Geist
auszuhauchen.
Er stöhnte: „Mich bekümmert mein naher Tod 565
und noch mehr meine liebe Gattin.
Sie ist edel und überaus tüchtig,
wahrhaftig, und sie hat sich vor
jedweder Leichtfertigkeit gehütet;
schlechte Gesinnung lag ihr fern. 570
Und auch meine Söhne dauern mich,

di mvzen leider weisen sin,
wen daz di ein mvter hant,
di vuret si wol in daz lant.
dar zv ich gvten trost han, 575
si nimet niht keinen andern man.‘
dise clage gehorte Kvnnin[24].
er sprach: ‚was ist evch, her Ysengrin?‘
‚da bin ich vreislichen wunt‘,
sprach er, ‚ich wene gesvnt 580
nimmer werde min lip.
vor leiden stirbet ovch min libez wip.‘
Kvnin sprach: ‚si entvt.
si enhat sich niht so wol behvt,
als ich dich iezv hore iehen. 585
ich han zwischen iren beinen gesehn
Reinhart hat si gevriet,
ichn az noch entranc siet:
mag daz gebrvetet sin,
ez gie vz unde in 590
als ein bescintiz stabilin.‘[25] a
Isingrin horte mere, 591
div warin ime swere.
er viel uor leide in unmaht,
er wisse weder was dac oder naht.
des lachete Kovnin. 595
do kan ze sich her Isigrin.
er sprach: ‚scraz, ih han arbeit!
dar zuo hast du mir geseit
mit lugin leidiv mere.

---

daz vz gat vnde aber in?‘ 590
Isengrin horte mere,
die ime waren swere.
er viel vor leiden in vnmaht,
ern weste, ob iz wer tag oder naht.

müssen sie doch jetzt leider Waisen sein;
nur noch die Mutter haben sie,
die sie sicher ins Leben führt.
Dabei bin ich freilich ganz zuversichtlich, 575
daß sie auf keinen Fall einen andern zum Gatten nimmt."
Diese Klagrede hörte Kuonin:
„Was habt Ihr, Herr Isengrin?"
„Ich bin auf den Tod verwundet",
antwortete der, „ich glaube nicht, 580
daß ich noch einmal gesund werde.
Aus Leid wird dann auch meine liebe Frau sterben."
Kuonin meinte: „Das tut sie bestimmt nicht.
Sie hat sich überhaupt nicht so in acht genommen,
wie ich dich hier reden höre. 585
Zwischen ihren Beinen habe ich nämlich Reinhart gesehen,
wie er sie begattet hat;
ich habe seitdem noch nicht einmal etwas zu mir genommen.
Oder heißt das nicht begatten,
wenn sich da etwas herausbewegt und wieder hinein, 590
ganz wie ein entrindetes Ästchen?" a

Isengrin hörte Dinge,
die ihn zutiefst trafen.
Vor Leid sank er in Ohnmacht
und wußte nicht, ob es Tag oder Nacht war.
Darüber amüsierte sich Kuonin. 595
Endlich kam Herr Isengrin wieder zu Bewußtsein:
„Kobold, ich bin von immer neuem Unheil verfolgt,
und jetzt gibst du mir noch
verlogene böse Nachricht.

---

des lachte Kvnin. 595
Do qvam zv sich er Ysengrin,
er sprach: ‚scoh, ich han arbeit!
dar zv hast dv mir geseit
mit lvgene leide mere.

obe ich so gauch ware, 600
daz ih ez wolte gelovben,
ez gienge dir an div ovgen.
hate ih dih hie nidere,
dv enkomist niemer widere.‘
Kuonin antwurte sus, 605
er sprach: ‚alter govch, dv bist cus.‘
Isigrin hulen began.
frowe Hersint schiere kam.
also daten ovch die sune sin,
des frowete sich do Isingrin. 610
weinunde er zuo in sprach:
‚alsus gerne ich ivch nie gesach,
liebin sune unde wib:
io han ich uerlorn minen lip.
daz hat mir Reinhart getan, 615
daz lant ime an daz lebin gan!
dar zuo hat mir Kuonin
genomin minen sin:
in mineme grozin sichetagen
begunder mir vbiliv mere sagin, 620
daz ivch Reinhart hate bigelegen.
da hate ich nah uerlorn daz lebin.
ez ware mir vil sware,

---

ob ich so torecht were, 600
daz ichz ver ware wolde han,
dv mvstiz mir din ovgen lan,
vnde hete ich dich hie nidere,
dv qvemest nimmer widere.‘
svst antwort im Kvnin: 605
‚ir sit ein tore, er Ysengrin.‘
Ysengrin hvlet zehant,
vil schire qvam vor Hersant,
also taten ovch sine svne do,
des was er Isengrin vil vro. 610
weinende er zv in sprach:

Wenn ich so töricht wäre, 600
sie zu glauben,
dann würde ich dir die Augen auskratzen.
Hätte ich dich hier unten,
gäbe es für dich keine Rückkehr."
Kuonin entgegnete: 605
„Alter Tor, du bist eben doch ein Hahnrei."
Da heulte Isengrin los.
Plötzlich erschien Frau Hersant
mit seinen Söhnen;
darüber freute sich Herr Isengrin mächtig. 610
Unter Tränen sagte er zu ihnen:
„So gerne habe ich euch noch nie gesehen,
meine lieben Söhne und meine liebe Frau,
denn ich bin ein verlorener Mann.
Reinhart hat mir das angetan – 615
laßt ihn mit dem Leben dafür büßen.
Damit nicht genug, Kuonin hat mich
vollends um den Verstand gebracht:
bei meiner größten Schwäche
hat er mir noch die schlimme Geschichte erzählt, 620
daß Reinhart Euch beigewohnt hätte.
Fast hätte mich dies das Leben gekostet.
Es hat mich außerordentlich bedrückt,

,alsvst gerne ich evch nie gesach,
liben svne vnde wip:
ich han verlorn minen lip.
daz hat mir Reinhart getan. 615
daz lat im an sin leben gan.
dar zv hat nv Kvnin
genvmen gar die sinne min:
in minen grozen sichtagen
begond er mir vbele mere sagen, 620
daz ir weret worden Reinhartes wip.
ich hatte verlorn nach minen lip,
iz were mir immer swere,

wan, daz man lugenaren
niht sol gelovben. 625
nu sehint, ih drie ime an die ovgen.'
Frowe Hersint do sprach:
,ich bin div Reinharten nie gesach
weiz got in drin tagen.
her Isingrin, ich sol ivch sagin: 630
lant iwer asprachen sin!'
do wart geleidiget[26] *Isingrin*
beidenhalben, da er was wunt.
do wart er schiere gesunt.
Reinhart zoch sich zov vestin. 635
er uorhte vremide gesti.
ein hus worhte er balde
uon eineme loche in deme walde,
da zoch er sine spise in.
eines tages do gie Isingrin 640
wider daz selbe hus in den walt,
sin kunber der was manivalt:
von hungere leit er arbeit,
ein laster was im aber gereit.
Reinhart was wol beratin: 645
do hater gebratin
ale, die irsmacte Isingrin.

---

wen daz man einem lvgenere
nimmer niht gelovben sol; 625
ich trovwete ime an trewen weizgot wol.'
vor Hersant do sprach:
,ich bin, di Reinharten nie gesach
weizgot bi drin tagen.
her Ysengrin, ich sol evch sagen: 630
lazet ewer veltsprachen sin!'
da wart gelecket er Ysengrin
beidenthalb, da er was wunt.
do wart er schire gesvnt.
Reinhart zoch ze neste, 635

abgesehen davon, daß man Lügnern
nicht glauben soll. 625
Freilich habe ich ihm den Verlust der Augen angedroht."
Frau Hersant entgegnete:
„Ich habe Reinhart
bei Gott seit drei Tagen überhaupt nicht gesehen.
Herr Isengrin, ich muß doch sagen: 630
laßt Euer dummes Gerede!"
Da leckten sie Isengrin
seine Wunden,
und schon war er wieder wohlauf.
Reinhart zog sich in sein Heim zurück, 635
denn er befürchtete unangenehmen Besuch.
Eiligst baute er sich
aus einer Höhle im Wald ein feste Wohnung
und schleppte Nahrungsmittel hinein.
Eines schönen Tages traf Isengrin 640
eben auf diese Wohnung im Wald;
er hatte große Sorgen,
denn der Hunger machte ihm Beschwerden.
Aber wieder wartete nur eine Schmach auf ihn.
Reinhart war vorzüglich mit allem versorgt 645
und hatte gerade
Aale gebraten, deren Duft Isengrin draußen in die Nase stieg.

---

er vorchte vremde geste.
ein hvs worchte er balde
vor einem loche in deme walde,
da trvg er sine spise in.
eines tages gienc er Ysengrin 640
bi daz hvs in den walt.
sin kvmmer was manicvalt.
von hvnger leit er arbeit;
ein laster was im aber gereit.
Reinhart was wol beraten: 645
da hatte er gebraten
ele, die smackete Ysingrin.

er dachte: ‚achach, diz mac wol sin
vil harte guot spise.‘
der tras begunde in wisin 650
vur sines geuaterren ture.
da sazte sich Isingrin fure.
dar in er bozen began.
Reinhart, der wunder kan,
sprah: ‚wan gan ir von der ture? 655
dalanc kumit nie man dar fure,
daz wizzint wol, noh herin.
war tuont ir muodinc uwern sin?
wan bern ir vil schone?
iz ist talanc affter none[27], 660
wir mvnche sprechen niht ein wort
vmbe der nybelvnge hort.‘[28]
‚gevater[ ]e‘, sprach er Isingrin,
‚wilt dv hi gemvnchet sin
immer vntz an dinen tot?‘ 665
‚ia ich‘, sprach er, ‚ez tvt mir not:
dv woldes mir ane schulde
versagen dine hvlde
vnde woldest mir nemen daz leben.‘
Ysingrin sprach: ‚ich wil dir vergeben, 670
ob dv mir iht hast getan,
daz ich dich mvge ze gesellen han.‘
‚dv macht mir lichte vergeben‘, sprach Reinhart,
‚min leben werde vurbaz niht gespart,
ob ich dir ie getete einen wanc. 675
woldest dv mirs wizzen danc,

---

er dachte: ‚aha, ditz mac vil wol sin
ein teil gvter spisen.‘
der smack begond in wisen 650
vur sines gevateren tvr.
da satzte sich her Ysengrin vur,
dar in er bozen begonde.

Er dachte: „Ach, da muß ja
ein ganz vorzügliches Mahl bereitet sein."
Der Duft führte ihn 650
genau vor die Tür seines Gevatters.
Isengrin ließ sich davor nieder
und klopfte dröhnend an.
Reinhart, der sich auf wahre Wunderdinge versteht,
rief: „Wann geht Ihr endlich von meiner Tür fort? 655
Zu dieser Tageszeit kommt niemand hier heraus –
und schon gar nicht herein, sollt Ihr Euch merken.
Wo habt Ihr Dummkopf Euren Verstand?
Wann benehmt Ihr Euch endlich?
Es ist schon nach der Non; 660
wir Mönche sprechen jetzt kein Wort,
selbst für den Nibelungenschatz nicht."
„Gevatter", antwortete Herr Isengrin,
„willst du hier
bis zu deinem Tod Mönch sein?" 665
„Aber ja", antwortete Reinhart, „dazu bin ich jetzt gezwungen,
denn du wolltest mir doch ohne alle Schuld
dein Wohlwollen entziehen
und mich gar ums Leben bringen."
Isengrin entgegnete: „Ich will dir vergeben, 670
auch wenn du mich geschädigt hast,
wenn du nur mein Gefährte bist."
„Das kannst du auch in Ruhe tun", sagte Reinhart,
„denn mein Leben sei keinen Pfennig wert,
wenn ich dich je hinters Licht führte. 675
Falls du es mir dankst,

Reinhart, der wunder konde,
sprach: ‚wan get ir niht dannen stan? 655
da sal talanc niman vz gan,
daz wizzet wol, noch her in.
war tvstv, mvdinc, den sin din?

zwei ales stvcke gebe ich dir,
di sint hevte vber worden mir'.
des wart Ysengrin vro.
wite begond er genen[29] do, 680
Reinhart warf si im in den mvnt.
,ich were immer me gesvnt',
sprach der thore Ysingrin,
,solde ich da hin koch sin.'
Reinhart sprach: ,des macht dv gnuc han, 685
wilt dv hie brvderschaft enpfan,
dv wirdest meister vber di braten.'
da wart er san beraten.
,daz lob ich', sprach Ysingrin.
,nv stoz', sprach er, ,din hovbt herin.' 690
des was Ysengrin bereit,
do nahet im sin arbeit.
dar in stiez er sin hovbet groz,
brvder Reinhart in begoz
mit heizem wazzer, daz ist war, 695
daz vurt im abe hvt unde har.
,we!' sprach Isingrin.
,wanit ir mit senfte
paradise bisizzin?
daz kumet von vnwizzin. 700
ir mugint gerne liden dise not:
gevatere, svennir ligent dot,
div broderscaft ist also getan,
an cehinzic[30] tusint messin sulint ir han
deil allirtagelich. 705
die von Citel fuorint dih

Isingrin sprach: ,ditz tvt we mir.'
Reinhart sprach: ,wenet ir
mit senfte baradys besitzen?
daz kvmet von vnwitzen. 700
ir mvget gerne liden dise not:

schenke ich dir zwei Stück Aal,
die ich heute übrig habe.“
Darüber freute sich Isengrin.
Weit riß er sein Maul auf, 680
und Reinhart warf sie ihm hinein.
„Ich wäre für immer gesund“,
sagte der törichte Isengrin,
„wenn ich hier Koch sein könnte.“
Reinhart gab zur Antwort: „Du kannst davon reichlich haben; 685
wenn du dich in die Bruderschaft aufnehmen läßt,
wirst du Küchenchef.“
Bald sollte er aber feine Dinge empfangen.
„Das will ich gerne geloben“, antwortete Isengrin.
„Dann streck nur deinen Kopf hier herein!“ 690
Dazu war Isengrin bereit,
aber schon nahten seine Beschwerden.
Er stieß seinen Riesenschädel herein,
und Bruder Reinhart goß tatsächlich
heißes Wasser darüber, 695
was ihm Haut und Haar verbrühte.
„O weh“, schrie Isengrin.
„Glaubt Ihr etwa,
Ihr könntet so einfach ins Paradies gelangen?
Das wäre eine große Dummheit. 700
Ihr solltet diese Pein mit Wonne erdulden,
Gevatter, denn wenn Ihr erst gestorben seid,
werdet Ihr nach den Gesetzen der Bruderschaft
täglich an hunderttausend Messen
teilhaben. 705
Die Brüder von Cîteaux werden dich

---

gevater, swen ir liget tot,
di brvderschaft ist also getan,
an tvsent messen svlt ir han
teil aller tegelich. 705
di von Zitias vurent dich

ze frone[31] *himelriche,*
daz weiz ich warliche.'
Isigrin wende, ez ware war.
beide sin hut unde sin har 710
ruwin in vil cleine.
er sprach: ,geuatere, nu sol gemeine
die ale sin, die da inne sint,
sit wir wurdin gotis kint.
swer mir ein stucke versaget, 715
ez wirt ze Citel geclagit.'
Reinhart sprach: ,ez ist dir unverseit.
Swaz wir han, daz ist dir gereit
in bruodirlicher minne.
hie ist numme fisce inne. 720
woltint ir gan,
da wir einen wiger han,
da ist inne fisce der maht,
ir kan niman wizzin aht;
die brovdir leiten sie drin.' 725
,wol hin', sprach Isingrin.
Der wiher was vbirfrorn.[32]
dar huobin sie sieh ane zorn.
sie begunden daz is scuowen:
ein loch was drin gehauwen, 730

---

zv dem vrone himelriche,
daz wizze gewerliche!'
Ysengrin wande, iz were war,
beide sin hovt vnde sin har 710
rowe in vil kleine.
er sprach: ,brvder, nv sit gemeine
die ele sin, di da inne sint,
sint wir sin worden gotes kint,
swer mir ein stvcke versaget, 715
iz wirt zv Zitias geclaget.'
Reinhart sprach: ,evch ist vnverseit,
swaz wir han, daz ist evch bereit

dann ins heilige Himmelreich führen,
wie ich mit Sicherheit weiß."
Isengrin nahm dies für bare Münze.
Haut und Haar 710
waren ihm ganz gleichgültig.
Er sagte: „Gevatter, nun müssen uns auch
die Aale hier gemeinsam gehören,
da wir nun einmal Kinder Gottes geworden sind.
Wer mir ein Stück davon vorenthält, 715
sei zu Cîteaux verklagt."
Reinhart antwortete: „Nichts ist dir vorenthalten.
Unser ganzer Besitz steht dir
in brüderlicher Liebe zur Verfügung.
Aber hier gibt es keine Fische mehr. 720
Wenn Ihr mit mir gehen wollt,
wo ich einen Weiher kenne,
dann finden wir eine Menge Fische,
die kein Mensch alle bewachen kann;
die Mönche haben sie dorthin gebracht." 725
„Nur auf", meinte Isengrin.
Wohlgemut machten sie sich auf den Weg;
der Weiher war aber zugefroren.
So suchten sie das Eis ab
und fanden ein Loch hineingeschlagen, 730

---

in brvderlicher minne. 720
hie ist niht me vische inne.
wolt ir aber mit mir gan,
da wir einen tich han,
in dem so vil vische gat,
daz ir niman achte hat? 725
di brvder hant si getan dar in.'
‚wol hin', sprach er Ysengrin.
Dar hvben si sich ane zorn.
der teich was vbervrorn.
si begonden daz is schowen,
ein grvbe was drin gehowen, 730

da man wazzir uz nam,
daz Isingrine ze scaden kam.
Sin bruoder hate sin grozin haz.
eines eimirs ih enweiz wer da uergaz.
Reinhart was fro daz er in vant, 735
sime bruoder ern an den zagel bant.
Do sprach Isingrin:
‚in nomine patris, waz sol diz sin?'
‚ir sulint den eimer hie in lan,
wan ich wil pfulsin gan, 740
vnde stant vil sempfticliche!
wir werdin visce riche,
wande ih sihe sie durh daz is.'
Reinhart was los, Isingrin unwis.
‚sage, bruodir in der minne, 745
ist dehein al hie inne?'
‚ia ez, tusint die ich ersehin han.'
‚daz ist mir liep, wir suln sie van.'
Isingrin pflac tumbir sinne,
ime gefror der zagil drinne. 750
div naht was kalt unde lieht,
sin bruodir warnete sin niet.

---

do man wazzer vz nam,
daz Ysengrine ze schaden qvam.
sin brvder hatte sin grozen haz.
eines eimeres niht er da vergaz:
Reinhart was vro daz er in vant, 735
sinem brvdere er in an den zagel bant.
do sprach er Isengrin:
‚in nomine patris, was sol ditz sin?'
‚ir schvlt den eymer hi in lan,
wan ich wil stvrmen gan, 740
vnde stet vil senfticliche!

wo man Wasser herausholte:
das sollte Isengrin großen Schaden bringen;
sein Mitbruder haßte ihn nämlich sehr.
Reinhart fand einen Eimer – weiß der Himmel, wer ihn vergessen hatte –
und freute sich darüber; 735
er band ihn seinem Mitbruder am Schwanz fest.
Da fragte Isengrin:
„In nomine patris, was soll denn das bedeuten?"
„Haltet den Eimer hier hinein,
denn ich begebe mich nun auf die Treibjagd; 740
bleibt nur ja recht brav stehen.
Wir werden Unmengen Fische fangen,
denn ich sehe sie schon durchs Eis."
Reinhart aber war voll Tücke, Isengrin nur zu dumm.
„Sag mir, mein geistlicher Mitbruder, 745
gibt es hier auch wirklich Aale?"
„Natürlich, schon tausend habe ich entdeckt."
„Das ist ja wunderbar, wir werden sie schon erwischen."
Isengrin war in seiner Dummheit blind,
schon fror ihm sein Schwanz fest. 750
Es war eine klare und kalte Nacht,
und sein Mitbruder dachte nicht daran, ihn zu warnen.

---

wir werden vische riche,
wen ich sehe si dvrch daz is.'
er Isengrin was niht wis,
er sprach: ‚sage, brvder in der minne, 745
ist icht vische hinne?'
‚ia iz, tvsent, di ich han gesehen.'
‚daz ist gvt, vns sol wol geschen.'
Isingrin phlag tvmmer sinne,
im gevroz der zagel drinne. 750
di nacht kalden geriet,
sin brvder warnet in niht.

Reinhartis drivwe warin laz,
er gefror ie baz unde baz.
,Dirre eimir swerit', sprach Isingrin. 755
,da han ich gezellit drin
drizic ale', sprach Reinhart,
,diz wirt ein nuzze vart;
kunnint ir stille gestan,
zehinzic wellint drin gan.' 760
Alsez do begunde dagen,
Reinhart sprach: ,ich wil ivch mere sagin:
ich furhte, wir unsir giticheit
uil sere engeltin; mir ist leit,
daz so uil uisce drinne ist; 765
ich neweiz der zuo neheinen list.
ir mugint sie niht uz erhebin.
sehint, ob ir sie mugint irwegin.'
Isingrin geriet zucken,
daz is begunde drucken 770
den zagel, er muoze da stan.
Reinhart sprach: ,ich wil gan
nah unsirn bruoderin darhaim:
dirre gewin wirt niht clein.'
Der dag begunde uf gan, 775
Reinhart huob sich dannan.

Reinhartes trewe waren laz,
er gevroz im ie baz vnde baz.
,dise eimer sweret', sprach Ysengrin. 755
,da han ich gezelet drin
drizick ele', sprach Reinhart,
,ditz wirt vns ein nvtze vart.
kondet ir nv stille gestan,
hvndert wollen iezv drin gan.' 760
als iz do begonde tagen,
Reinhart sprach: ,ich wil ev sagen:
ich vurchte, daz wir vnser richeit
vil sere engelden, mir ist leit,

Von Treue konnte bei Reinhart keine Rede sein;
immer mehr fror jener ein.
„Der Eimer wird mir zu schwer“, klagte Isengrin. 755
„Ich habe schon dreißig Aale darin gezählt“,
antwortete Reinhart,
„das Unternehmen wird sehr erfolgreich;
wenn Ihr Euch nur ruhig verhaltet,
werden hundert hineingehen.“ 760

Als es nun Tag wurde,
meinte Reinhart: „Ich kann nur sagen:
wir müssen unsere Gier – fürchte ich –
sehr büßen; es macht mir Sorge,
daß so viele Fische im Eimer sind; 765
denn jetzt ist meine Kunst am Ende:
Ihr dürftet sie kaum herausheben können;
seht zu, ob Ihr sie auch nur ein wenig fortbewegen könnt.“
Isengrin begann zu ziehen,
aber das Eis hielt 770
seinen Schwanz fest, so daß er bleiben mußte.
Reinhart sagte: „Ich werde mich
zu unsern Mitbrüdern nach Hause aufmachen,
denn dieser Erfolg ist wahrlich nicht gering.“
Da wurde es vollends Tag, 775
und Reinhart machte sich davon.

---

daz so vil vische dinne ist, 765
ichn weiz iezv deheinen list.
irn mvget si, wen ich, erwegen.
versuocht, ob ir si mvget hervz gelegen.‘
Isingrin kochen geriet,
daz iz wolde smelzen niet, 770
den zagel mvst er lazen stan.
Reinhart sprach: ‚ich wil gan
nach den brvdern, daz si balde kvmen:
dirre gewin mag vns allen gefrvmen.‘
vil schire iz schone tac wart, 775
dannen hvb sich Reinhart.

Isingrin, der viscere,
der uernam leide mere.
er sach einen riter[33] *komen,*
der hate hunde ze ime genomen. 780
Isingrine kom er uf die vart,
daz fiscen ime ze leide wart.
der riter hiez her Birtin,
an iagin kertir sinen sin.
daz kam herren Isingrine ze scaden. 785
uf der uart begunder drabin.
als er Isingrinen gesach,
zuo den hunden er do sprach:
‚zuo!' unde begunde sie scuffin.
sie gerietin in sere rupfin. 790
I[ ]singrin beiz umbe sich,
sin angist der was grozlich.
Herre Birtin kam gerant,
daz swert krifter mit der hant
unde irbeizte[34]*, des was ime gach.* 795
uf daz is lief er sa,
daz swert huob er harte ho.
des uvart der fiscere vil unfro,
er hate ze uaste geladen. 799

Isengrin, der vischere,
der vernam vil leide mere:
er sach einen ritter kvmen,
der hatte hvnde zv im genvmen. 780
er qvam vf Isingrines vart,
daz vischen im ze leide wart.
der ritter her Birtin hiez,
dehein tier er vngelat liez.
ern Isingrine daz ze schaden qvam, 785
die var er gegen im nam.
als er Isingrinen sach,
zv den hvnden er do sprach:
‚zv!' vnde begonde si schvppfen.

Isengrin aber, der Fischer,
ging bösen Dingen entgegen.
Er erblickte einen Ritter,
der Hunde bei sich hatte. 780
Er war genau auf Isengrins Fährte,
dem sich jetzt der Fischzug in schlimmes Leid verkehrte.
Der Ritter hieß Herr Birtin;
er war gerade auf der Jagd.
Das sollte Herrn Isengrin in Unannehmlichkeit bringen, 785
denn jener trabte genau auf seiner Fährte.
Als er Isengrin erblickte,
rief er den Hunden zu
„Auf geht's" und hetzte sie.
Sie begannen Isengrin mächtig zu zerzausen. 790
Der biß nach Kräften um sich;
entsetzlich war seine Angst.
Schon eilte Herr Birtin herbei,
nahm das Schwert in die Hand
und sprang eiligst vom Pferd. 795
Rasch lief er aufs Eis
und hob das Schwert hoch.
Das nahm dem Fischer jede Freude,
zuviel hatte er gefangen. 799

---

do geriten si in rvppfen. 790
Isingrin beiz alvmme sich,
sin angest was niht gemelich.
her Birtin qvam gerant,
sin swert begreif er ze hant
vnde erbeizte vil snelle. 795
vf daz is lief er vngetelle,
er hvb do daz swert sin.
des wart vil vnvro her Ysengrin:
er hatte vaste geladen,
daz qvam im da zv schaden, 800
wen wir horen wise levte sagen:

swer irhebit, daz er niht mac getragen, 802
der muz ez under wegin lan –
als waz ez ovch umbe Isingrinen gethan.
Isingrin was besezzin. 805
her Birtin hate ime gemezzin:
den rucke wolter ime inzwei slahin.
do begunden ime die fuze ingan,
vonme sliffe er nider kam:
div gleti ime den swanc nam. 810
umbe den sturz er niht enlie,
an den kniwin er wider gie.
div gletin im aber den swanc nam,
daz er heht ubir den zagel kam;
den sluoc er ime garwe abe. 815
sie ir huobin beide groze clage.
Her Birtin do clagete,
daz er vermisset habete,
ouch clagite sere Isingrin
den vil liebin zagil sin. 820
den muoser da ze pfande lan.
do huob er sich dannan.
Reinhart, der uil hat gelogin,
der wirt noh hute betrogin.
doch gehalf ime sin kundicheit 825

---

swer erhebet, daz er niht mag getragen,
der mvz iz lazen vnder wegen.
des mvste ovch her Ysengrin nv pflegen.
Isengrin was besezsen, 805
er Birtin hatte im gemezzen,
daz ern vf den rvcke solde troffen han.
do begonde im die buze engan:
von dem slipfe er nider qvam,
der val im den swanc nam. 810
vmme den val erz niht enlie,
an den knien er do wider gie.
die glete im aber den slag verkerte,

Wer aber aufhebt, was er nicht tragen kann, 802
der muß alles verlieren –
so war es nun auch um Isengrin bestellt.
Isengrin war umringt. 805
Schon hatte Herr Birtin Maß genommen,
denn er wollte ihm den Rücken zerschlagen.
Da rutschte er mit den Füßen aus;
das schlüpfrige Eis brachte ihn zu Fall,
denn die Glätte hatte ihm den Schwung genommen. 810
Trotz des Sturzes
machte er sich nun auf den Knien an Isengrin.
Aber wieder nahm die Glätte ihm den Schwung,
so daß er nur den Schwanz erwischte;
den schlug er ihm aber ganz ab. 815
Jetzt hatten sie beide Grund zu großer Klage.
Herr Birtin,
daß er vorbeigezielt hatte,
und Isengrin trauerte
seinem so geliebten Schwanz nach; 820
den mußte er jetzt als Pfand zurücklassen,
denn rasch eilte er davon.
Reinhart, der schon so oft gelogen hat,
wird noch heute einmal selber betrogen.
Allerdings half ihm seine listige Gewandtheit 825

---

daz er im den zagel vorserte
vnde slvgen im gar abe. 815
si hatten beide groze missehabe:
do was hern Birtines clage,
daz er hat vermisset an dem slage,
ovch kleite sere her Isengrin
den vil liben zagel sin, 820
den mvst er do ze pfande lan.
dannen begond er balde gan.
Reinhart, der vil hat gelogen,
der wirt noch hevte betrogen,
doch half im sine kvndikeit 825

von notlichir arbeit.
zuo einer cellin er sih huob,
da wiste er inne huoner genuoc.
daz inhalf in niht, weizgot;
sie was wol umbemurot. 830
Reinhart begunde umbe gan.
vor dem tor sach er stan
einen sot dief unde wit,
da sach er in, daz gerovwin sit:
sinen scatin er drinne gesach. 835
ein michel wunder nv gesach,
daz der ergovchete hie,
der mit listen wunders vil begie.
Reinhart wande sehin sin wib,
div was ime lieb alsam der lib, 840
wan daz er sih doh niht wolte unthaben,
ern mvoste frivndinne haben,
wande minne git hohen muot[35]*;*
davon duhte si in guot.
Reinhart lachete darin, 845
do zannete der scate sin.
des wister ime michelin danch:
vor liebe er in den sot spranch.

---

von vil grozer arbeit.
zv einer zelle in sin wec trvg,
da weste er inne hvnere gnvc.
keinen nvtz er des gevienc,
ein gvte mvre dar vmme gienc. 830
Reinhart begonde vmme gan,
vor dem tore sach er stan
einen bvrnen, der was tief vnde wit.
da sach er in, daz rowe in sit.
sinen schaten er drinne gesach. 835
ein michel wunder nu geschach,
daz er hergeczte hie,

aus schlimmer Bedrängnis.
Er machte sich auf den Weg zu einem Kloster,
von dem er wußte, daß dort viele Hühner gehalten wurden.
Aber damit war er, weiß Gott, noch nicht am Ziel,
denn es war vortrefflich ummauert. 830
Reinhart machte einen Rundgang.
Da sah er vor dem Tor
einen Brunnen, der breit und tief war.
Er blickte hinein, was ihm bald leid tat.
Er entdeckte nämlich einen Schatten darin, 835
und nun geschah das große Wunder,
daß der zum Toren wurde,
der sonst mit seiner List wahre Wunderdinge ausrichtete.
Reinhart glaubte nämlich, seine Frau zu sehen,
die er wie sich selber liebte. 840
Allerdings konnte er es nicht lassen,
doch noch eine Geliebte zu haben,
denn Minne gibt ja ein Hochgefühl,
weshalb sie ihm eben so wertvoll erschien.
Reinhart lachte hinunter, 845
wobei der Schatten sich bewegte.
Dafür bedankte er sich vortrefflich:
vor lauter Wonne sprang er in den Brunnen.

---

der mit listen vil begie.
Reinhart wande sehen sin wip,
die was im liep als der lip, 840
vnde en mochte sich doch niht enthan,
ern mvste zv der vrvnden gan,
wenne minne gibt hohen mvt.
da von dovchte si in gvt.
Reinhart lachete dar in, 845
do zannete der schate sin.
des west er im cleinen danc,
vor libe er in den brvnnen spranc.

durh starche minne det er daz.
do wurdin im div oren naz. 850
In deme sode er lange swam.
uf einen stein er do quam,
da leiter uf daz huobet.
swer diz niht geloubet,
der sol mir drumbe niht gebin.[36] 855
Reinhart wande sin lebin
weizgot da vursprungen han.
do kam her Isingrin gigan
ane zagel uzer dem walde.
zuo der celle huob er sih balde, 860
ern was noch niht enbizzin.
ir suln vil wol wizzen,
ein schaf hater gerne[37] *genomen.*
vnvirwanet kom er
uber den diefin sot, 865
des kom sin lib in groze not[38].
Isingrin darin sach.
nv vernement rehte, waz im geschah:
sinen scaten sach er drinne;
er wande, daz frowe Hersint, 870
sin drutminne,
ware darinne:

---

dvrch starke minne tet er daz,
do wurden im die oren naz. 850
in dem bvrnen er lange swam,
vf einen stein er do qvam,
da leit er vf daz hovbet.
swer des niht gelovbet,
der sol drvmme niht geben. 855
Reinhart wande sin leben
weizgot da versprungen han.
her Ysengrin begonde dar gan
ane zagel vz dem walde.
zv der celle hvb er sich balde, 860

Er hatte es in seiner unbändigen Liebe getan,
wovon er sich jetzt nasse Ohren holte. 850
Lange schwamm er unten umher,
bis er einen Stein erreichte,
auf den er seinen Kopf legte.
Wer das nicht glaubt,
soll getrost meinen Lohn behalten. 855

Reinhart glaubte weiß Gott,
er habe sich ums Leben gesprungen.
Da nahte Herr Isengrin;
schwanzlos trat er aus dem Wald.
Rasch wandte er sich der Klosterzelle zu, 860
denn er hatte noch nichts gegessen.
Ihr müßt nämlich wissen,
daß er gierig auf ein Schaf aus war.
Unverhofft kam er nun
am tiefen Brunnen vorbei, 865
was ihn in große Bedrängnis bringen sollte.
Isengrin blickte hinein.
Nun hört genau zu, wie ihm geschah:
unten erblickte er seinen eigenen Schatten;
da glaubte er, daß Frau Hersant, 870
seine geliebte Ehefrau,
darin sei.

---

er was noch niht enbizzen.
ir sult vil wol wizzen,
ein schaf hette er gerne genvmen.
des envant er niht, nv ist er kvmen
vber den brvnnen vil tief, 865
do wart aber geeffet der gief.
Isengrin dar in sach.
vernemt recht, was im geschach:
sinen schaten sach er dinne,
er want, daz iz sin minne 870
were, ver Hersant.
daz hovbet tet er nider zehant

Isingrin begunde daz huobet sin
vil dicke hebin vz vnde in,
daz selbe det derinne der schate sin. 875
des becherter sinen sin.
frowen Hersinde begunder clagin
groz laster unde scadin.
vil harte begunder hvlon[39]*,*
do antwurte im sin don: 880
sin stimme div hal in daz hol.
der sot was lechirheite vol,
daz wart vil sciere schin.
Reinhart sprach: ,waz mac daz sin?'
Isingrin irgovchet wart, 885
er sprach: ,bist dv daz, bruoder Reinhart?
ich frage dich in der minne,
waz dv dovst dar inne.'
er sprach: ,min lib ist dot,
min sele wunt ane not; 890
daz wizzent warliche,
ich bin in himelriche.
mir ist div scovle hinne beuolhen,
ich kan div kint wol leren.'[40]
,Reinhart, mir ist leit din dot.' 895

---

vnde begonde lachen,
semelicher sachen
begienc der schate da inne. 875
des verkarten sich sine sinne,
er begonde Hersante sin laster sagen
vnde von sinem schaden clagen.
vil lvte hvlete Ysengrin,
do antwort im der don sin. 880
sin stimme schal in daz hol,
ez was leckerheite vol,
daz wart vil schire schin.
Reinhart sprach: ,wer mag daz sin?'

Isengrin streckte sogleich seinen Kopf
immer wieder hinein und heraus,
und ebendies tat innen sein Schatten. 875
Das verdrehte ihm den Verstand.
Er fing an, Frau Hersant
seine große Schmach und Verwundung zu klagen;
mächtig heulte er los.
Da antwortete ihm sein Geschrei: 880
seine eigene Stimme hallte in der Tiefe.
  Der Brunnen aber war voll von tückischer Hinterlist,
wie sehr rasch deutlich wurde.
Reinhart dachte unten: „Was kann das bedeuten?“
Jetzt sollte Isengrin vollends zum Toren werden; 885
er sagte: „Bist du es, Mitbruder Reinhart?
Ich frage dich bei unserer geistlichen Verbundenheit:
was tust denn du da unten?“
Der gab zur Antwort: „Mein Körper ist tot,
meine Seele wohnt aber ohne jede Bedrängnis, 890
denn das sollt Ihr in der Tat wissen:
ich bin im Himmel.
Mir ist hier die Schule anvertraut,
wo ich die Kinder bestens unterrichten kann.“
„Reinhart, mir tut dein Tod sehr leid.“ 895

Isengrin ergetzet wart, 885
er sprach: ‚bist dv daz, gevater Reinhart?
sage mir in der minne:
was wirbest dv dar inne?‘
Reinhart sprach: ‚min lip ist tot,
min sele lebet ane not, 890
daz wizze werliche.
ich bin hie in himelriche,
dirre schvle ich hie phlegen sol,
ich kan di kint leren wol.‘
er sprach: ‚mir ist leit din tot.‘ 895

,so frowe ich mis; dv wonest mit not
in der werlte aller dagelich,
ze paradysi bin ich
unde han hie mere wunne,
denne ieman irdenchen kunne.' 900
Do sprach Isingrin:
,bruoder unde geuatere min,
wie ist fro Hersint dar komen?
ich han seltin[41] *rovb genomen,*
si enhate dran ir deil.' 905
Reinhart sprach: ,ez waz ir heil.'
,nv sage mir, geuatere gvot,
wie ist sie umbe daz huobet so verbrovt?'
,daz dvon ich, drut geselle:
sie det einen duc zvo der helle. 910
daz hast du dicke wol uernomen:
zuo paradise mac nieman komen,
ern muoze der helle bekorn.
da hat si daz huobethar uerlorn.'
Reinhart wolte da uzze sin. 915
siniv ovgen sach Isingrin:
,sage, bruoder, waz luhtet da?'
Reinhart antwurte sa:

,ich vrev mich; dv lebes mit not
in der werlde aller tegelich,
zv paradyse han aber ich
michels mere wunne,
danne man irdenken kvnne.' 900
do sprach er Isengrin:
,brvder vnde gevatere min,
wie ist ver Hersant herin kvmen?
ich han selten roub genvmen,
si enhette dran ir teil.' 905
Reinhart sprach: ,iz was ir heil.'
,saga, trvt gevater', sprach er do,

„Ich bin ganz wohlgemut dabei; denn du lebst weiter mit
Sorgen
jeden Tag in dieser Welt,
während ich hier im Paradies
mehr Freuden habe,
als irgendwer sich auch nur denken kann.“ 900
Da sagte Isengrin:
„Mein Mitbruder und Gevatter,
wie ist nur Frau Hersant dort hineingekommen?
Ich habe nämlich keinen einzigen Raubzug unternommen,
ohne daß sie ihren Anteil bekommen hätte.“ 905
Reinhart antwortete: „Es ist ihr zum Glück ausgeschlagen.“
„Dann sag mir noch, lieber Gevatter,
warum hat sie einen so verbrühten Kopf?“
„Das will ich dir gerne erklären, lieber Gefährte,
sie hat etwas von der Hölle abbekommen. 910
Du hast doch sicher schon oft gehört,
daß niemand ins Paradies kommen kann,
ohne die Hölle zu sehen.
Dabei hat sie ihr Kopfhaar verloren.“
Reinhart wollte aber nichts als herauskommen. 915
Da erblickte Isengrin seine Augen:
„Sag mir, Mitbruder, was funkelt da so?“
Reinhart gab zur Antwort:

‚wi ist [ ]ir daz hovbet verbrant so?‘
‚daz geschah ovch mir, trvt geselle,
si tet einen tuc in die helle. 910
dv hast dicke wol vernvmen,
zv paradyse mag niman kvmen,
ern mvze der hele bekoren.
da hat si hvt vnd har verlorn.‘
Reinhart wolde da vze sin, 915
die ovgen gesach im Ysengrin.
‚saga, gevater, was schinet da?‘
Reinhart antworte im sa:

‚ez ist edil gesteine,
die karuunkele reine, 920
die da schinent als ein lieht,
der ensihest dv da uze nieht,
hie sint ovch kuoge unde swin
vnde daz veizete scafelin,
ane huote ez hie gat, 925
hie ist maniger slahte rat.‘
‚Mohtich iemir komen darin‘,
sprach der dore Isingrin.
‚dv tvo, als ich dich lere;
ich wil an dir mir ere 930
bigan, nv phlic wizzen:
in den eimer solt dv sizzen.‘
vmbe den sot was ez so getan,
swenne ein eimer begunde in gan,
daz ein ander vz gie. 935
Isingrin niht enlie,
als in sin gevatere lerte,
wider ostert[42] *er sich kerte.*
daz kam von vnwizzen.
in den eimer gienc er sizzen. 940
Reinhart sin selbes niht vergaz,
in den vndirn er do gesaz.

‚iz ist edel gesteine,
die karvunkel reine, 920
di schinent hi tag vnde nacht;
da vze dv ir niht gesehen macht.
hi sint ovch rinder vnde swin
vnde manic veistez zickelin,
ane hvte iz allez hi gat. 925
hi ist vil manger slachte rat.‘
‚mocht ich immer kvmen darin,‘
sprach der tore Ysengrin.
‚ia dv, als ich dich lere!
ich wil an dir min ere 930

„Das sind Edelsteine,
reine Karfunkel, 920
die wie Lichter strahlen,
wie man es dort oben nicht kennt;
hier gibt es auch Rinder und Schweine,
und das fetteste Schäfchen
läuft hier ohne Hirten umher; 925
hier ist wirklich, was das Herz begehrt."
„Könnte ich nur auch dorthin kommen",
meinte der Dummkopf Isengrin.
„Dann tu so, wie ich dir sage;
ich will dir meine ritterliche Gesinnung erweisen, 930
streng dich nur an:
du mußt dich in den Eimer setzen."
Mit dem Brunnen hatte es aber folgendes auf sich:
ging ein Eimer hinab,
so kam der andere hoch. 935
Isengrin zögerte nicht,
nach seines Gevatters Wunsch zu handeln.
Er wandte sich gegen Osten;
das tat er ohne jeden Verstand.
Schon setzte er sich in den Eimer. 940
Reinhart vergaß nicht sich und seine Situation
und setzte sich in den unteren.

---

began, nv pflic witzen!
in den eymer salt dv sitzen.'
vmme den bvrnen was iz also getan,
so ein eymer begond in gan,
daz der ander vz gie. 935
Isengrin do niht enlie,
des in sin gevatere larte:
widir hoster her sich karte,
daz qvam von vnwitzen;
in den eimer gieng er sitzen. 940
Reinhart sin selbes niht vergaz,
in den andern er do saz.

Isingrin, der den scaden nam,
sime geuateren er bekam
rehte in almittin. 945
er sprach: ‚bruoder Reinhart, war sol ez gelobit sin?'
‚daz sagich dir gewarliche:
hie ze himilriche
soltu minen stuol han,
wandich dirz harte wol gan. 950
ich wil vz in daz lant,
dv verst dem divuel in die hant.'
Isingrin gie an den grunt,
Reinhart ze walde wol gesunt.
vil harte irscaffen was der sot, 955
ez ware anders Isingrines dot.
daz paradise duhte in sware,
vil gern er dannen ware.
Die mvniche muosten wazzer han,
do kam ein bruodir gigan. 960
er zoch die kurbin sere,
der last duhte in mere,
denne er ie gedate da.
uber den sot gie er sa
vnde versuohte, waz ez mohte sin. 965
do sach er, wa Isingrin

Isengrin, der den schaden nam,
sinem gevateren er do bequam
mittene vnde vur hin in. 945
er sprach: ‚Reinhart, wa sol ich nv sin?'
‚daz sag ich dir gewerliche:
hi zu himelriche
salt dv minen stvl han,
wan ich dirs vil wol gan. 950
ich wil vz in daz lant,
dv dem tevfel in die hant.'
Isengrin gieng an den grvnt,
Reinhart vur ze walde wol gesunt.

Isengrin, der nun auf sein Unheil zusteuerte,
begegnete seinem Gevatter
genau in der Mitte: 945
„Bruder Reinhart, wohin soll die Verabredung führen?"
„Das beantworte ich dir gern:
hier im Himmel
wirst du jetzt meinen Stuhl einnehmen;
den gönne ich dir von Herzen. 950
Ich will zurück auf die Erde,
während du jetzt dem Teufel direkt in den Schlund fährst."
Isengrin sank bis auf den Grund;
Reinhart aber machte sich guter Dinge in den Wald.

Der Brunnen war fast völlig leer, 955
sonst hätte Isengrins letztes Stündlein geschlagen.
Das Paradies kam ihm beschwerlich vor,
und sehr gern wäre er wieder draußen gewesen.
Die Mönche brauchten aber Wasser,
und so kam ein Bruder herbei. 960
Kräftig zog er an der Kurbel,
aber die Last kam ihm schwerer vor
denn je.
Er beugte sich über den Brunnen
und untersuchte, was die Ursache sei. 965
Da sah er Isengrin

---

vil vaste was erschophet der brvnne, 955
iz were anders Ysengrine misselungen.
daz paradyse dovcht in swere,
vil gerne er dannen were.
die mvnche mvsten wazzer han,
ein brvder begonde zv dem bvrnen gan. 960
er treib die kvrben vaste
vnde zoch an dem laste
me, dan er ie getete da.
vber den brvnnen gienc er sa
vnde versvchte, was iz mochte sin. 965
do gesach er, wa Isengrin

an deme grunde in deme eimere saz.
der bruoder was nivt laz,
in die celle lief er sa,
des wart deme bartinge gach. 970
er sagete vremidiv mere
des in deme sode were:
‚Isingrinen ich han gesehin.‘
die muniche sprachen: ‚hie ist gescehin
gotis rache‘, do hubin sie sich; 975
daz wart Isingrine notlich.
Der briol nam eine stange
groz unde lange,
ein ander nam ein zercstal,
da wart ein michel gescal. 980
si sprachen: ‚nemet alle war,
daz er niht sin straze var.‘
si zvgen die chvrben vmme,
Isengrin, der tvmme,
der wart schire vf gezogen. 985
in hatte Reinhart betrogen.
der priol hat in nach erslagen,
daz mvste Isengrin vertragen.
Reinhart tet im mangen wanc,
daz ist war, wa was sin gedanc, 990
daz er sich so dicke trigen lie?
die werlt stent noch alsvs hie,
daz manic man mit valscheit
vberwant sin arbeit

---

an dem grvnde in dem eymer saz[ ].
der brvder was niht laz,
in die celle lief er geringe,
gach wart dem bertinge, 970
er sagete vremde mere,
daz in dem bvrnen were
Isengrin, wen her in hatte gesehen.

auf dem Grund im Eimer sitzen.
Der Bruder war nicht faul;
rasch lief er ins Kloster,
so eilig hatte es der Langbart. 970
Er verbreitete die unerhörte Nachricht,
wie es um den Brunnen bestellt war:
„Ich habe Isengrin darin gesehen."
Die Mönche riefen: „Das ist
die Rache Gottes!" und stürmten los; 975
das brachte Isengrin in Bedrängnis.
Der Prior ergriff einen Knüppel
von tüchtiger Dicke und Länge,
ein anderer nahm einen Kerzenständer;
es entstand ein gewaltiger Lärm. 980
Sie riefen: „Paßt auf,
daß er nicht davonkommt!"
Eifrig drehten sie die Kurbel,
und schon war Isengrin, der Dummkopf,
oben. 985
Reinhart hatte ihn schlimm hinters Licht geführt.
Um ein Haar hätte ihn der Prior erschlagen,
soviel mußte Isengrin aushalten.
Reinhart hatte ihm gegenüber schon viele Winkelzüge unternommen –
wahrhaftig, wo blieb nur sein Verstand, 990
daß er sich so oft betrügen ließ?
Aber so geht es immer in der Welt,
daß viele mit List und Tücke
besser vorankommen

---

di mvnche sprachen: ‚hi ist geschen
gotes rache' vnde hvben sich vber den bvrnen. 975
da wart Ysengrine misselvngen.
der prior nam ein stange,
vil groz vnde vil lange,
ein ander nam daz kerzstal,
da wart ein vil michel schal. 980

baz danne einer, der der trewen pflac. 995
also stet iz noch vil manchen tac.
gnvge iehen, daz vntrewe
sei iezvnt vil nevwe.
weizgot: er si[ ] ivnch oder alt,
manges not ist so manicvalt, 1000
er wenet, ditz geschah nie manne me.
vnsern cheime ist so we
von vntrewen, ern habe vernvmen,
daz mangem ist ie vorekvmen.
Isengrin was in grozer not. 1005
si liezen in ligen fvr tot.
der priol di platten gesach,
zv den mvnchen er do sprach:
,wir haben vil vbele getan,
eine blatten ich ersehen han 1010
vnde sag ev noch me:
ja ist nach der alden e
dirre wolf Ysengrin besniten.
owe, hette wir[ ] vermiten
dise slege, wan ze ware, 1015
er was ein revwere!'
die mvnche sprachen: ,ditz ist geschen.
hette wirs e gesehen,
des mochte wir wesen vro.'
dannen giengen si do. 1020
hette Ysengrin den zagel niht verlorn
noch die blatten geschorn,
in hette erhenget daz gotes her.
von Horbvrc her Walther
zv allen ziten alsvst sprach, 1025
swaz ime ze leide geschach,
mit ellenthaftem mvte:
,iz kvmet mir als lichte ze gvte,
so iz mir tvt dehein vngemach.'
Isengrine alsam geschach. 1030
do im die mvnche entwichen,

als jemand, der es mit der Treue hält. 995
So wird es auch noch lange bleiben.
Viele sagen, Untreue
sei jetzt Mode.
Weiß Gott, ob jung oder alt,
manch einer hat so viele Sorgen erlebt, 1000
daß er glaubt, niemand anderem sei so mitgespielt worden;
aber in Wirklichkeit hat keiner
so viel Untreue erlitten, daß er nicht gehört hätte,
anderen sei es genauso ergangen.
Isengrin war jetzt in arger Bedrängnis; 1005
man ließ ihn für tot liegen.
Da entdeckte der Prior seine Tonsur
und sagte zu den Mönchen:
„Wir haben uns schlimm benommen,
denn ich habe eine Tonsur entdeckt, 1010
ja noch mehr:
der Wolf Isengrin ist nach dem Alten Testament
beschnitten.
O weh, hätten wir ihn
nur nicht so verprügelt, denn wahrhaftig, 1015
er war ein Büßer!“
Die Mönche meinten: „Geschehen ist geschehen.
Hätten wir es vorher gemerkt,
könnten wir jetzt froh sein.“
So zogen sie ab. 1020
Hätte Isengrin nicht seinen Schwanz eingebüßt
und die Tonsur erhalten,
dann wäre er von den Mannen Gottes glatt umgebracht worden.
Herr Walther von Horburg
pflegte stets, 1025
was ihm auch immer zustieß,
mit ungebrochenem Mut zu sagen:
„Am Ende nützt es mir doch,
wenn mir irgend etwas schadet.“
Genauso war es Isengrin ergangen. 1030
Als die Mönche fort waren,

do qvam er geslichen
hin zv dem walde,
do begonder hvlen balde.
also vor Hersant daz vernam, 1035
vil schire si dare qvam
vnde sine svne beide.
do clagete er in von leide:
,liben svne vnde wip',
sprach er, ,ich habe minen lip 1040
von Reinhartes rate verlorn.
dvrch got daz lazet evch wezen zorn!
daz ich ane zagel gan,
daz hat mir Reinhart getan,
deswar, an aller slachte not. 1045
er betrovg mich in den tot.
von siner vntrewe groz
enphing ich mangen slac vnde stoz.'
der gesselleschafte mocht niht me sin,
Reinharte drevwete der bate sin. 1050
ir aller weinen wart vil groz,
hern Ysengrinen des bedroz,
er sprach: ,vrow Hersant, libes wip,
wes verterbet ir ewern schonen lip?[43]
ewer weinen tvt mir we, 1055
so helf ev got, nv tvt iz niht me!'
,o we, ich en mag ez niht ane sin!
mir ist leit, daz der man min
ane zagel mvz wesen.
wi sol ich arme des genesen?' 1060
daz vrlevge[44] was erhaben.
Isengrin begonde draben
zv lage Reinharte.
er hvb sich an die warte,
wen swer mit ungeziuge 1065
erhebet ein vrlevge,
der sol mit gvten listen

schleppte er sich
in den Wald,
wo er sogleich losheulte.
Als Frau Hersant das hörte, 1035
kam sie eiligst herbei,
mit ihr seine beiden Söhne.
Da klagte er ihnen sein Leid:
„Liebe Söhne, liebe Frau Gemahlin",
begann er, „mein Leben 1040
ist durch Reinharts falschen Rat zunichte.
Nehmt um Gottes willen Rache!
Daß ich jetzt ohne Schwanz bin,
das hat mir Reinhart angetan,
und zwar, wahrhaftig, ohne jeden Grund. 1045
Er hat mich bis zum Tod betrogen.
Seiner unsäglichen Untreue
habe ich die vielen Schläge zu verdanken."
Die freundschaftliche Verbindung konnte nicht länger dauern;
jetzt hatte Reinhart seinen Paten auf den Fersen. 1050
Das Heulen von ihnen allen wurde so schlimm,
daß es Herrn Isengrin bekümmerte:
„Frau Hersant, meine liebe Gemahlin,
was richtet Ihr Eure Schönheit zugrunde?
Euer Weinen trifft mich ins Herz; 1055
helf' Euch Gott, laßt ab davon!"
„O weh, ich kann nicht ohne ihn auskommen!
Ich bin erschüttert, daß mein Mann
keinen Schwanz mehr hat.
Wie werde ich Ärmste das überstehen?" 1060
Damit war die Fehde ausgebrochen.
Isengrin trabte los,
um Reinhart aufzulauern.
Er bezog einen Spähposten,
denn wer ohne Vorbereitung 1065
eine Fehde beginnt,
der kann sich nur mit List

sinen lip vristen.
dise vnminne alsvs qvam.
Ein lvchs daz schire vernam. 1070
in mvete sere diser zorn,
er was von beiden geborn
von wolfe vnde von vuchse.
da von was dem lvchse
daz vngemach. 1075
zv Isengrin er do sprach:
,trvt mag, er Ysengrin,
wes zeihet ir den neven min?
ir sit min geslechte beide.
vil gerne ich bescheide, 1080
vnde offent mir ewer clage,
so kvmet iz zv einem tage.
swaz ev Reinhart hat getan,
des mvz er ev zv bvze stan.'
do antwort im er Ysengrin, 1085
er sprach: ,vernim, trvter neve min,
iz wer lanc ze sagene:
ich han vil ze clagene,
daz mir Reinhart hat getan.
daz ich hevte ane zagel gan, 1090
daz geschvf sin lip.
dar zv warp er umme min wip.
mocht er des vnschvldic wesen,
ich liez in vmb daz ander genesen.
versagen ich dir doch niht enmac, 1095
ich wil dirs leisten einen tac.'
der tac wart gesprochen
vber drie wochen[45].
dar qvam her Ysengrin
vnde brachte vil der mage sin. 1100
ein teil ich ir nennen sol,
di mvget ir erkennen wol:
daz was der helfant vnde der wisen,
di dovchten Reinharten risen,

retten.
So war es also zur Auseinandersetzung gekommen.
Bald hörte ein Luchs davon. 1070
Der war durch den Streit betroffen,
denn er hatte beide,
Wolf und Fuchs, in seiner Verwandtschaft.
Deshalb war der Luchs
tief betrübt. 1075
Er sagte zu Isengrin:
„Mein lieber Verwandter, Herr Isengrin,
was werft Ihr meinem Vetter vor?
Ihr gehört beide meinem Geschlecht an –
so bin ich gern bereit zu schlichten; 1080
eröffnet mir Eure Klagepunkte,
dann wird es einen Gerichtstag geben.
Was Euch Reinhart auch angetan hat,
dafür muß er Euch mit der Buße einstehen."
Herr Isengrin gab ihm zur Antwort: 1085
„Hör zu, mein lieber Vetter,
ich müßte eigentlich eine lange Geschichte erzählen,
denn ich habe viel zu klagen,
was mir Reinhart alles angetan hat.
Wenn ich heute keinen Schwanz mehr habe, 1090
dann geht das auf sein Konto.
Außerdem hat er meine Frau umworben.
Trüge er wenigstens da keine Schuld,
so ließe ich ihn wegen des andern Punkts in Ruhe.
Ich kann dir deine Bitte aber nicht abschlagen 1095
und will den Gerichtstag einhalten."
Der Tag wurde auf
die Zeit nach drei Wochen festgesetzt.
Da erschien dann auch Herr Isengrin
mit vielen Verwandten. 1100
Einen Teil werde ich euch aufzählen;
ihr werdet sie gut kennen:
Es waren der Elefant und der Wisent,
die Reinhart wie Riesen vorkamen,

die hinde vnde der hirz Randolt, 1105
die waren Ysengrine holt,
Brvn der bere vnde daz wilde swin
wolden mit Ysengrine sin.
zv nennen alle mich niht bestat,
swelich tier grozen lip hat, 1110
daz was mit Ysengrine da,
in were bezzer anderswa.
Reinhart Crimeln zv im nam,
einen dachs, der im ze staten quam.
hern gesweich im nie zv keiner not, 1115
daz werte wan an ir beider tot.
der hase vnde daz kvneclin
vnd ander manic tierlin,
des ich niht nennen wil,
der qvam dar vzer moze vil. 1120
Isengrin hatte sich wol bedacht,
hern Reizen hatter dare bracht,
einen rvden vreslich.
vf des zennen solde sich
Reinhart enschvldiget han. 1125
den rat hatte her Brvn getan.
si hiezen Reizen liegen vur tot,
da was nach vberkvndigot
Reinhart, der vil liste pflac.
Crimel sach, wa Reize lac, 1130
er sprach: ‚Reinhart, vernim mir:
gewerliche sag ich dir,
dv endarft mirs niht verwizen,
Reize wil dich erbizen:
kvmet din vuz vur sinen mvnt, 1135
dvnen wirdest nimmer me gesvnt.‘
der lvchs, der si brachte dar,
sprach zv Reinharte: ‚nv nim war,
wi dv zv vnserme angesichte
Isengrine getvs ein gerichte, 1140
daz dv niht wurbes vmb sin wip.‘

dann die Hinde und der Hirsch Randolt, 1105
die Isengrin zugetan waren;
Brun, der Bär, und das Wildschwein
wollten Isengrin ebenfalls beistehen.
Sie vollständig zu nennen, darauf will ich verzichten,
aber alle großen Tiere 1110
waren mit Isengrin;
besser für sie wäre es allerdings anderswo gewesen.
Reinhart hatte Krimel bei sich,
einen Dachs, der ihm noch nützen sollte.
Noch nie hatte der ihn bei Gefahr im Stich gelassen, 1115
was bis zu beider Tod dauerte.
Der Hase und das Kaninchen
und viele andere kleine Tiere,
die ich nicht alle aufzählen will,
kamen in unglaublicher Zahl herbei. 1120

Isengrin hatte gut vorgesorgt
und Herrn Reize mitgebracht,
einen entsetzlich bissigen Rüden.
Auf dessen Zähnen sollte sich
Reinhart eidlich von Schuld lossagen, 1125
wie Herr Brun geraten hatte.
Dabei forderten sie aber Reize auf, sich tot zu stellen,
wodurch der in Listen so gut bewanderte
Reinhart um ein Haar noch überboten worden wäre.
Krimel merkte aber, wie Reize dalag, 1130
und sagte: „Reinhart, hör gut zu;
ich sage dir die Wahrheit,
aber du darfst es mir nicht übelnehmen:
Reize wird dich umbringen;
wenn dein Fuß sein Maul berührt, 1135
ist es aus mit dir."
Der Luchs, der sie hinführte,
forderte Reinhart auf: „Sieh nun zu,
daß du vor unsern Augen
Isengrin bezeugst, 1140
daß du nicht seiner Frau nachgestellt hast."

‚ich tvn', sprach er, ‚sam mir min lip,
daz er gebe rede vil gvt'.
er sprach: ‚were die werlt gar behvt
vor vntriwen, als ich was ie!' 1145
Reinhart sich sprechen gie,
sine mage bat er dar vz gan.
‚wizzet ir, was ich ersehen han?'
sprach er, ‚Reize lebet, ich wil varen.
got mveze ev alle wol bewaren!' 1150
er hvb sich vf daz gevilde,
do sprach manic tier wilde:
‚seht, nv vlvhet Reinhart!'
Isingrine vil zorn wart,
er hvb sich vf sine spor, 1155
ver Hersant lief im verre vor,
daz was vil vbele getan.
irn travt wolde si erbizzen han
dvrch ir vnschvlde
vnde dvrch Isingrines hvlde. 1160
Reinhart was leckerheit wol kvnt:
siner amien warf er dvrch den mvnt
sinen zagel dvrch kvndikeit.
zv siner bvrc er do reit,
das was ein schonez dachsloch, 1165
dar flvhet sin geslechte noch.
da ernerte Reinhart den lip sin.
ver Hersant lief nach im drin
mit alle wan vber den bvc.
do gewan si schire schande genuc: 1170
sine mochte hin noch her,
Reinhart nam des gvten war,
zv eime andern loche er vz spranc,
vf sine gevateren tet er einen wanc.
Isengrine ein herzen leit geschach: 1175
er gebrvtete si, daz erz an sach.
Reinhart sprach: ‚vil libe vrvndin,

„Das tu ich", antwortete der, „und so wahr ich hier stehe auf eine Weise,
daß er sich selber wohl verantworten muß.
Wäre die Welt doch nur so frei
von Untreue, wie es bei mir immer der Fall war!" 1145
Darauf zog sich Reinhart zu einer Besprechung zurück
und bat seine Verwandten wegzugehen.
„Wißt Ihr, was ich gesehen habe?"
sagte er, „Reize lebt; ich will nichts wie fort.
Gott schütze Euch alle!" 1150
Er entsprang ins Feld,
und viele Tiere schrien auf:
„Seht, dort flieht Reinhart!"
Isengrin war erbost;
schon war er ihm auf den Fersen, 1155
ihm weit voraus noch Frau Hersant,
womit sie sich so falsch wie nur möglich verhielten.
Jene wollte unbedingt ihren Liebhaber totbeißen,
um ihre Unschuld unter Beweis zu stellen
und Isengrins Wohlwollen zurückzuerlangen. 1160
Reinhart kannte sich aber in Finten gut aus;
listig wedelte er seiner Freundin
mit dem Schwanz direkt vor dem Maul.
So galoppierte er zu seiner Festung,
einer hübschen Dachshöhle, 1165
in das sein Geschlecht noch heute flieht.
Dort war er gerettet.
Frau Hersant lief hinterdrein,
aber nur bis zum Vorderteil.
Da erwartete sie die größte Schmach: 1170
Da sie weder vor noch zurück konnte,
nahm Reinhart die Gelegenheit beim Schopf,
lief aus einem andern Loch hinaus
und schwang sich auf die Gevatterin.
Isengrin brach fast das Herz, 1175
denn jener begattete sie vor seinen Augen.
Reinhart sagte: „Liebste Freundin,

ir schvlt talent mit mir sin.
izn weiz niman, ob got wil,
dvrch ewer ere ich iz gerne verhil.' 1180
vern Hersante schande was niht cleine,
si beiz vor zorne in die steine,
ir kraft[46] konde ir nicht gefrvmen.
nv sach Reinhart kvmen
Isingrinen zornicliche. 1185
,mir ist bezzer, daz ich entweiche',
sprach Reinhart vnde hob sich wider in.
mit Isengrine qvamen die svne sin,
manic tier vreisam
mit Ysengrine qvamen dar san; 1190
mit den mochte er bezevgen sint,
daz geminnet[47] was sin libes wib.
Isengrin begonde weinen.
bi den hindern beinen
wart ver Hersant vzgezogen. 1195
,mich hat vil dicke betrogen
Reinhart', sprach Ysengrin,
daz wolde ich allez lazen sin,
wenne ditz ansehende leit,
daz ist lanc vnde breit.' 1200
Reinhart gienc zv der pforten stan,
er sprach: ,ich han evch niht getan.
min gevatere wolde herin,
do hiez ich si willekvmen sin,
vnde daz ich evch niht habe getan, 1205
daz wil ich an minen paten lan.'
,entrewen', sprach der bate,
,ichn mag gesin svnere niht me.
ich mvz din vint sin dvrch not,
in miner hant liget din tot'. 1210
,neina, bate', sprach Reinhart,
,so tetest dv ein vbele vart.
izn wurde dir nimmer vergeben,
di wile dv hetest daz leben,

Ihr solltet jetzt bei mir bleiben.
Bei Gott, niemand weiß ja davon,
und um Eures Ansehens willen wäre ich schon ver-
schwiegen.“ 1180

Frau Hersants Schmach war bodenlos;
sie biß vor Wut in die Steine,
aber ihre Stärke nützte ihr jetzt nichts.
Da sah Reinhart
Isengrin wutschnaubend heraneilen. 1185
„Für mich ist es besser, mich jetzt zurückzuziehen“,
sagte Reinhart und ging wieder in sein Heim.
Mit Isengrin kamen seine Söhne,
und viele schreckenerregende Tiere
waren ebenso dabei. 1190
Mit all denen konnte jener später bezeugen,
daß seine Frau vergewaltigt worden war.
Isengrin brach in Tränen aus.
An den Hinterbeinen
wurde Frau Hersant herausgezogen. 1195
„Schon oft hat mich Reinhart betrogen“,
klagte Isengrin,
„aber all das würde ich auf sich beruhen lassen –
außer dieser Schmach vor meinen Augen;
sie ist zu groß.“ 1200
Da trat Reinhart vor die Tür
und rief: „Ich habe Euch nichts Böses getan.
Meine Gevatterin wollte mich besuchen,
und ich hieß sie willkommen.
Daß es so ist, 1205
kann ja mein Pate bezeugen.“
„Bei Gott“, antwortete der,
„ich kann nicht länger dein Versöhner sein.
Jetzt muß auch ich dich verfolgen;
bei mir hast du nur noch mit dem Tod zu rechnen.“ 1210
„Nur ja nicht, mein Pate“, antwortete Reinhart,
„damit würdest du einen schlechten Weg beschreiten.
Denn den Rest deines Lebens

vnde mvstez sein zv allen stvnden 1215
mit ysen gebvnden‘.
Ysengrin sprach: ‚desswar,
ver Hersant, nv sint iz siben iar,
daz ich evch zv miner e nam.
da was manic tier lvssam 1220
vnser beider kvnne.
sint hatte wir entsamet wunne.
nv hat vns gehonet Reinhart,
owe, daz er ie vnser gevatere wart!
ichn magez nimmer werden vro.‘ 1225
ver Hersant weinete do
vnde hulte Ysengrin,
alsam taten ovch di svne sin.
daz laster mvsten si haben.
do begonden si dannen draben, 1230
vil zornic was ir aller mvt.
Reinhart sprach: ‚gevatere gvt,
trvt min her Ysengrin,
ir svlt talanc hi sin.
wolt ir aber hinnen gan, 1235
so svlt ir mine gevateren hi lan.
di sol von rechte hie wirtinne sin.‘
des antwort im niht her Ysengrin.

Ditz geschah in eime lantvride[48],
den hatte geboten bi der wide 1240
ein lewe, der was Vrevil[49] genant,
gewaltic vber daz lant.
keime tier mochte sin kraft gefrvmen,
izn mveste vur in zv gerichte kvmen.
si leisten alle sin gebot, 1245
er was ir herre ane got.
den vride gebot er dvrch not:
er wande den grimmigen tot
vil gewisliche an ime tragen.
wi daz qvam, daz wil ich evh sagen: 1250
zv einem ameizen hvfen wold er gan,

könntest du dann unentwegt 1215
in Ketten zubringen."
Isengrin sagte: „Wahrhaftig,
Frau Hersant, nun ist es sieben Jahre her,
seit ich Euch zu meiner Ehefrau genommen habe.
Viele schöne Tiere waren damals 1220
als unsere Verwandten dabei.
Seitdem hatten wir überaus große Freuden.
Jetzt aber hat uns Reinhart Schande bereitet,
wehe, daß er unser Gevatter geworden ist!
Darüber kann ich nicht mehr froh werden." 1225
Frau Hersant brach in Tränen aus,
auch Isengrin heulte
und ebenso seine Söhne.
Unauslöschlich war die Schmach.
Sie setzten sich in Trab, 1230
glühend vor Wut.
Reinhart rief ihnen nach: „Werter Gevatter,
mein lieber Herr Isengrin,
bleibt doch hier.
Wenn Ihr aber unbedingt fort wollt, 1235
dann laßt mir doch wenigstens meine Gevatterin hier.
Sie muß von Rechts wegen hier Hausfrau sein."
Darauf gab ihm Herr Isengrin keine Antwort mehr.
Dies alles hatte in einem Landfrieden stattgefunden,
den beim Tod durch den Strang 1240
ein Löwe geboten hatte, der Vrevel hieß,
Herrscher übers ganze Land.
Keinem Tier konnte seine Stärke etwas nützen,
mußte es doch vor seinen Richterstuhl treten.
Alle folgten sie seinem Befehl, 1245
er war nach Gott ihr erster Herrscher.
Den Landfrieden hatte er aber in Bedrängnis angeordnet,
denn schon glaubte er sich dem schrecklichen Tod
mit Gewißheit ausgeliefert.
Wie es dazu kam, will ich Euch jetzt dartun. 1250
Er wollte zu einem Ameisenhaufen.

nv hiez er si alle stille stan
vnde sagte in vremde mere,
daz er ir herre were.[50]
des enwolden si niht volgen, 1255
des wart sin mvt erbolgen.
vor zorne er vf die burc spranc,
mit kranken tieren er do ranc,
in dvchte, daz iz im tete not.
ir lagen da me danne tvsent tot 1260
vnde vil mange sere wunt,
gnvc bleibe ir ovch gesvnt.
sinen zorn er vaste ane in rach,
die bvrk er an den grvnt brach.
er hatte in geschadet ane maze, 1265
do hvb er sich sine straze.
di ameyzen begonden clagen
vnde irn grozen schaden sagen,
den si hatten an irem chvnne.
z[ ]ergangen was ir wunne, 1270
daz waz in ein iemerlicher tac.
der herre, der der burc pflac,
daz was ein ameyz vreisam.
do der vz dem walde qvam,
do vernam er leide mere, 1275
daz sine bvrgere
den grozen schaden mvsten han.
er sprach: ‚wer hat ev ditz getan?'
di dannoch niht waren tot,
di clageten vaste ir not:[51] 1280
‚wir sin von trewen darzv chvmen:
wir hatten von Vrevele gar vernvmen,
daz wir im solden sin vndertan.
done wolde wir deheinen han
wan evch, des mvzze wir schaden tragen; 1285
er hat uns vil der mage erslagen
vnde dise bvrc zebrochen.
blibet daz vngerochen,

Dort gebot er allen stillzustehen
und verkündete ihnen die unerhörte Geschichte,
daß er ihr Gebieter sei.
Dem wollten sich jene nicht unterwerfen, 1255
worüber er tief ergrimmt war.
Zornig sprang er auf ihre Festung
und kämpfte mit den kleinen Tieren,
weil er glaubte, daß er dazu verpflichtet sei.
Mehr als tausend von ihnen blieben auf der Strecke, 1260
und sehr viele trugen Wunden davon,
einige von ihnen blieben jedoch am Leben.
Heftig rächte er sich an ihnen
und zerstörte ihre Festung bis an die Grundmauern.
Ohne Maß hatte er ihnen Schaden zugefügt, 1265
als er sich wieder auf den Weg machte.
Die Ameisen brachen in Klagen aus
und verkündeten den ungeheuren Verlust,
den ihr Geschlecht davongetragen hatte.
Ihre Freude war dahin, 1270
voll Jammer war der Tag.
Der Burgherr
war aber eine verwegene Ameise.
Als er aus dem Wald zurückkehrte,
vernahm er die schlimme Nachricht, 1275
daß seine Burgleute
so großen Schaden erlitten hatten.
Er fragte: „Wer hat euch das angetan?"
Diejenigen, die nicht umgekommen waren,
klagten heftig ihre Drangsal: 1280
„Unsere Gefolgschaftstreue hat uns dies eingetragen.
Wir hörten von Vrevel,
daß wir ihm untertan sein müßten.
Wir wollten aber keinen andern über uns haben
als Euch; dafür mußten wir dann büßen. 1285
Er hat uns viele Verwandte erschlagen
und diese Festung zerstört.
Wenn das ungerächt bleibt,

so habe wir vnser ere gar verlorn.‘
‚ich wolde e den tot korn‘, 1290
sprach ir herre vnde hvb sich zehant
nach dem lewen, biz daz er in vant
vnder einer linden, da er slief.
der ameyze zv im lief
mit eime grimmigen mvte. 1295
er gedachte: ‚herre got der gvte,
wie sol ich gerechen mine diet?
erbiz ich in, ichn trage sin hinnen niht.‘
er hatte mangen gedanc –
mit kraft er im in daz ore spranc. 1300
dem kvnege daz zv schaden wart;
do gesach iz Reinhart,
der was verborgen da bi.
si iehent, daz er niht wise si,
der sinen vient versmahen wil. 1305
der lewe gewan do kvmmers vil.
zv dem hirne fvr er vf die richte,
der kvnic vf erschricte
vnde sprach: ‚genediger trechtin[52],
was mac ditz vbeles gesin? 1310
owe daz ich mich versovmet han
gerichtes! des mvz ich trvric stan,
wen es geschiht mir nimmer me.‘
der lewe da vil lvte schre.
manic tier daz vernam, 1315
daz vil balde dar qvam,
vnde sprachen: ‚was ist ev geschen?‘
er sprach: ‚mir ist we, daz mvz ich iehen.
ich weiz wol, iz ist gotes slac,
wen ich gerichtes niht enpflac.‘ 1320
einen hof gebot er zehant,
die boten wurden zesant
witen in daz riche.
er wart nemeliche
in eine wisen gesprochen 1325

dann ist es mit unserm Ansehen aus."
„Eher wollte ich sterben", 1290
antwortete ihr Herr und machte sich sogleich auf den Weg
zum Löwen, bis er ihn
schlafend unter einer Linde fand.
Der Ameisenherr lief
ergrimmt auf ihn zu. 1295
Er dachte bei sich: „Gott im Himmel,
wie werde ich mein Volk am besten rächen?
Beiße ich ihn tot, so kann ich ihn doch nicht wegschleppen."
Er überlegte hin und her –
dann sprang er ihm mit aller Kraft ins Ohr. 1300
Dem König sollte das schlimme Tage bereiten.
Reinhart aber beobachtete die Szene,
denn er lag verborgen in der Nähe.
Man sagt ja zu Recht, daß der dumm sei,
der seinen Feind mißachtet. 1305
Der Löwe kam darüber in tiefe Not.
Jener nämlich drang ihm ins Gehirn ein,
worüber der König aufschreckte
und sagte: „Gnädiger Gott,
was kann das nur für ein Übel sein? 1310
Wehe, daß ich unterlassen habe,
Gericht zu halten; deswegen leide ich jetzt große Pein.
Es würde mir nimmermehr passieren."
Laut brüllte der Löwe.
Viele Tiere hörten es, 1315
kamen rasch herbei
und fragten: „Was ist Euch nur?"
Er erwiderte: „Mir geht es schlecht, kann ich nur sagen.
Aber ich weiß genau, daß es ein Schlag Gottes ist,
weil ich nicht Gericht gehalten habe." 1320
Auf der Stelle befahl er einen Hoftag,
und die Boten wurden
weithin ins Reich gesandt.
Er wurde aber genau
auf eine bestimmte Wiese festgelegt, 1325

vber sechs wochen,
dane was wider niht.
an hochgestvle man geriet,
daz was gvt unde stark
vnde coste me dan tvsent mark. 1330
ich nenne evch, wer dar qvam:
aller erste, als ich iz vernam,
daz pantyr vnde der elefant,
der stravz, der wisent wol erkant.
der hof harte michel wart: 1335
dar qvam der zobel vnde der mart
vnde der lewart snel
(der trvg ovf ein gvegerel),
beide der hirz vnde der bere
vnde die mvs vnde der scere, 1340
dar qvam der lvchs vnde daz rech,
beide daz kvniclin vnde daz vech,
dar qvam di geiz vnde der wider,
der steinbock hvb sich her nider
von dem gebirge balde, 1345
ovch qvam vz dem walde
der hase vnde daz wilde swin,
der otter vnde daz mvrmendin,
die olpente qvam ovch dare;
der biber vnde der ygele ein schare, 1350
der harm vnde der eychorn
heten den hof vngerne verborn,
der vr vnde Kvnin,
der schele vnde Baldewin,
Reize vnde daz merrint, 1355
Crimil vnde manges tieres kint,
der ich genennen nicht enkan,
wand ich ir kvnde nie gewan,
ver Hersant vnde Ysingrin
qvamen dar vnde die svne sin. 1360
der kvnic gienc an daz gerichte sa.
Reinhart was niht ze hove da;

und zwar über sechs Wochen.
Dagegen war kein Widerspruch möglich.
Man baute entsprechende Sitze auf,
die wohlgearbeitet und fest waren
und über tausend Mark kosteten. 1330
Ich will euch sagen, wer dort erschien:
Als erste, wie ich hörte,
der Panther und der Elefant,
der Strauß und der bekannte Wisent.
Der Hoftag wurde sehr groß: 1335
Ebenso kamen Zobel und Marder,
der flinke Leopard –
der hatte einen Kopfschmuck auf –,
weiter Hirsch und Bär,
die Maus und der Maulwurf, 1340
dazu der Luchs und das Reh,
das Kaninchen und die Fehe,
ebenso die Geiß und der Widder;
der Steinbock kam eilig
vom Gebirge herab, 1345
und aus dem Wald liefen
der Hase und das Wildschwein herbei,
der Otter und das Murmeltier;
auch das Kamel langte an.
Eine Schar Biber und Igel, 1350
das Hermelin und das Eichhörnchen
wollten den Hoftag keinesfalls versäumen,
dazu der Auerochs und Kuonin,
der Hengst und Balduin,
Reize und das Rind von jenseits des Meeres, 1355
Krimel und vieler Tiere Kinder,
die ich nicht alle aufzählen kann,
weil mir davon nicht berichtet wurde;
schließlich kamen Frau Hersant und Isengrin
mit seinen Söhnen an. 1360
Der König setzte sich auf den Richterstuhl.
Reinhart war nicht am Hof

sine vinde brachte er doch ze not.
der kvnich selbe gebot,
daz si ir brechten[53] liezen sin. 1365
do svchte rechte er Ysengrin:
eines vorsprechen er gerte,
der kvnic in eines gewerte.
daz mvste Brvn der bere sin.
er sprach: ‚herre, nv gert Ysengrin 1370
dvrch recht vnde dvrch ewer gvte,
ob ich in missehvte,
daz er min mvze wandel han.‘
der kvnic sprach: ‚daz si getan.‘
‚kvnic gewaldic vnde her, 1375
groz laster vnde ser
claget ev her Ysengrin:
daz er hvete des zageles sin
vor evch hi ane stat,
daz was Reinhartes rat. 1380
des schamt sich vaste sin lip.
vrowen Hersante, sin edele wip,
hat er gehonet in dem vride,
den ir gebvtet bi der wide.
daz geschach vber iren danc.‘ 1385
Crimel do her fvre spranc,
er sprach: ‚richer kvnic, vernemt ovch mich!
diese rede ist vngelovblich
vnde mag wol sin gelogen.
wi mochte si min neve genotzogen? 1390
ver Hersant di ist grozer, dan er si.
hat aber ir er gelegen bi
dvrch minne, daz ist wunders niht,
wan svlcher dinge vil geschiht.
nv weste iz iman lvtzel hi: 1395
ver Hersant, nv sait, wi
evch ewer man bringet ze mere?
daz mag evch wesen swere.
dar zv lastert er sine kint,

und sollte dennoch seine Feinde in Bedrängnis bringen.
Der König befahl,
daß das Geschrei aufhöre. 1365
Da suchte Isengrin sein Recht:
er verlangte einen Fürsprecher,
den der König ihm zugestand.
Brun, der Bär, sollte es sein.
Der begann: „Herr, Isengrin bittet 1370
aufgrund von Recht und Eurer Güte,
daß ich bei schlechter Verteidigung
abgelöst werde.“
Der König sagte: „Das ist in Ordnung.“
„Mächtiger und erhabener König, 1375
Herr Isengrin klagt vor Euch
seine tiefe Schmach und Verwundung;
daß er heute ohne seinen Schwanz
vor Euch steht,
das hat er Reinhart zu verdanken. 1380
Er schämt sich auch sehr dafür.
Außerdem hat jener Frau Hersant, seine edle Gemahlin,
mitten im Landfrieden,
den Ihr doch beim Strang geboten hattet, entehrt.
Es war wahrlich gegen ihren Willen.“ 1385
Da trat Krimel hervor
und sagte: „Hehrer König, hört auch mich an!
Diese Worte sind unglaubwürdig
und können nur gelogen sein.
Wie hätte sie mein Neffe vergewaltigen können? 1390
Frau Hersant ist ja viel größer als er.
Hat er ihr aber
in Liebe beigewohnt, so ist das nicht verwunderlich,
denn das geschieht doch jeden Tag.
Außerdem war es hier unbekannt: 1395
Frau Hersant, sagt selbst, warum
bringt Euer Mann Euch in aller Munde?
Das sollte Euch doch unangenehm sein.
Außerdem ist es für seine Kinder eine Schmach,

di schone ivngelinge sint, 1400
ich hore ovh vppiclichen clagen,
daz wil ich evh ver war sagen:
herre kvnik, horet an dirre stat,
schaden kisen, den er hat:
vnde hat hern Ysengrines wip 1405
dvrch Reinharten verwert irn lip
so groz als vmb ein linsin,
daz bvze ich vur den neven min!'
Isingrin begonde aber clagen,
er sprach: ,ir herren, ich wil ev sagen: 1410
der schade beswert mir niht den mvt
halp so vile, so daz laster tvt.'
der kvnic vragete bi dem eide
den hirz, daz ers bescheide,
was dar vmbe rechtes mvge sin. 1415
Randolt sprach: ,her Ysengrin
hat vil lasters vertragen –
daz en mag ev niman widersagen –
mit grozen vnmazen.
ez sold in wol erlozen 1420
Reinhart mit siner kvndikeit.
herre daz sol ev wesen leit[54].
sold er gehonen edele wip,
phy, was sold in dan der lip?
ich verteile im bi minem eide 1425
vnde dvrch deheine leide
wen von minen witzen:
ir svllet in besitzen,
vnde mvget ir in gevahen,
so heizet balde gahen, 1430
daz er werde erhangen;
so habt ir ere begangen.'

Der kvnic was selbe erbolgen,
er sprach: ,ir herren, wolt irz volgen?'
si sprachen: ,ia!' alle nach, 1435
zv Reinhartes schaden wart in gach.

die doch so stattliche Jünglinge sind. 1400
Ich halte deshalb Eure Klage für überflüssig,
kann ich nur sagen.
Herr König, laßt hier
den Umfang des Schadens doch einmal feststellen:
Wenn Herrn Isengrins Gattin dann wirklich 1405
durch Reinhart
auch nur im geringsten betroffen ist,
dann werde ich für meinen Neffen bürgen!"
Da erhob Herr Isengrin wiederum seine Klage:
„Ihr Herren, ich muß Euch erklären, 1410
daß mich der Schaden nur halb so bedrückt
wie die Schande."
Der König trug darauf dem Hirsch auf, unter Eid
sein Urteil abzugeben,
was hier rechtens sei. 1415
Randolt sagte darauf: „Herr Isengrin
hat viel Schande ertragen müssen –
das kann niemand in Abrede stellen –,
über die Maßen viel.
Reinhart hätte ihn 1420
mit seinen Tücken nicht zu behelligen brauchen.
Das müßt Ihr, Herr, als wahre Beleidigung empfinden.
Sollte er edle Frauen entehrt haben –
pfui Teufel, wie kann man ihn dann noch leben lassen?
Ich verurteile ihn eidlich, 1425
und zwar, ohne selbst betroffen zu sein,
nur nach meinem besten Wissen:
Ihr sollt ihn verhaften lassen,
und wenn Ihr ihn gefangen habt,
so ordnet sogleich an, ihn eilends 1430
aufzuknüpfen;
dann habt Ihr Eurem Ansehen gemäß gehandelt."
Der König selber konnte seinen Zorn nicht unterdrücken
und fragte: „Ihr Herren, schließt Ihr Euch dem Urteil an?"
Sie riefen alle: „Ja!", 1435
denn sie wollten nichts lieber als Reinhart bestrafen.

iz enwiderredete nieman
wen ein olbente von Thvschalan[55],
di was vrvmic vnde wis
vnde dar zv vor alter gris. 1440
die vuze leite sie vur sich
vnde sprach: ‚er kvnec, vernemt ovh mih!
ich hore mangen gvten knecht
erteiln, daz mich dvncht vnreht;
sine kvnnen sich lichte niht baz verstan. 1445
bi dem eide wil ich vh zv rehte han,
swen man hi ze hove beclage,
ist er hie niht, daz manz im sage
vnde sol in dristvnt vurladen.
kvmet er niht vur, daz ist sin schade 1450
vnde sol im an sin leben gan.
bi dem eide ich ditz erteilet han.‘
des wart Ysengrin vnvro.
vil schire volgeten si do
der olbente gemeine, 1455
die tiere groz vnde cleine.
dise rede gevur also.
Scantecler qvam do
vnde vor Pinte zware,
si trvgen vf einer bare 1460
ir tochter tot, daz was ir clag.
di hatte an dem selben tag
erbizzen der rote Reinhart.
di bare vor den kvnich wart
gesetzet, des begond er sich schamen. 1465
ditz was aber Ysengrines gamen.
Scantecler hvb groze clage,
er sprach: ‚kvnik, vernim, was ich dir sage:
dv scholt wizzen gewerliche,
dir hoenet Reinhart din riche, 1470
des hat er sich gevlizzen:
owe, er hat mir erbizzen

Niemand hielt eine Gegenrede,
außer einem Kamel aus Thuschalan,
das gottesfürchtig und weise war
und außerdem in ehrwürdigem Alter. 1440
Es legte die Füße vor sich zusammen
und begann: „Herr König, hört auch mir zu!
Ich sehe hier viele tüchtige Leute
ein Urteil fällen, das mir rechtswidrig zu sein scheint –
vermutlich können sie es nicht besser. 1445
Aufgrund meines Eides will ich Euch aber zum Recht an-
halten:
wen man hier am Hoftag beklagt,
dem muß man dies, falls er nicht anwesend ist, ankündigen,
ja, man muß ihn dreimal vorladen.
Erscheint er dann nicht, so ist es sein eigener Schaden, 1450
und es wird ihn das Leben kosten.
Das habe ich unter Eid geurteilt."
Isengrin wurde darüber tief betrübt,
denn sogleich schlossen sich
alle dem Kamel an, 1455
von den großen bis zu den kleinen Tieren.
So war die Gegenrede ausgegangen.
Da erschien Scantecler
mit Frau Pinte;
sie trugen auf einer Bahre 1460
ihre tote Tochter, die sie beklagten.
Sie war am gleichen Tag noch
vom roten Reinhart totgebissen worden.
Die Bahre wurde vor dem König
abgesetzt, der vor Scham erblich. 1465
Das tat Isengrin wohl.
Scantecler begann seine große Klage:
„König, höre, was ich dir zu sagen habe:
du mußt jetzt endlich einsehen,
daß Reinhart dir dein Reich verhöhnt; 1470
das hat er auch jetzt wieder unter Beweis gestellt:
o weh, er hat mir

mine tochter also gvt!‘
einen zornigen mvt
gewan der kvnick here, 1475
die clage mveet in sere
vnde sprach: ‚sam mir min bart,
so mvz der vuchs Reinhart
gewislichen rovmen ditz lant,
oder er hat den tot an der hant.‘ 1480
Der hase gesach des kvniges zorn,
do want der zage sin verlorn.
daz ist noch der hasen sit.
vor vorchten bestvnt in der rit.
der kvnic hiez singen gan 1485
hern Brvnen, sinen kappelan,
vnde ander sine lereknaben:
der tote wart schire begraben.
der hase leit sich vf daz grab do
vnde entslief, des wart er harte vro, 1490
als ich evch sagen mvz:
do wart im des riten bvz.
der hase vferschricte,
vur den kvnik gienc er enrichte
vnde sagte im vremde mere, 1495
daz daz hvn were
heilick vor gotes gesichte.[56]
do luote man in richte.
si begonden allentsamt iehen,
da were ein zeichen geschen 1500
vnde erhvben einen hohen sanc.
des weste Reinharte niman danc;
si baten alle geliche,
daz der kvnic riche
dise vntat vaste richte, 1505
si sprachen: ‚zv vnserm angesichte
hat got ein zeichen getan;
Reinhart sold iz vermiden han,

meine so liebe Tochter totgebissen!"
Da brach der stolze König
in Zorn aus – 1475
so sehr bedrückte ihn die Klage –:
„Bei meinem Bart,
der Fuchs Reinhart hat
unter allen Umständen dieses Land zu verlassen –
oder er ist des Todes." 1480
Der Hase sah den Zorn des Königs,
und schon glaubte sich der Feigling verloren,
wie es ja noch immer die Art des Hasen ist.
Vor Angst bekam er Schüttelfrost.
Der König ließ unterdessen eine Messe singen; 1485
Herr Brun, sein Hofkaplan,
und dessen Schüler mußten das tun.
Sofort wurde die Tote begraben.
Der Hase legte sich auf das Grab
und schlief ein; darüber konnte er sich bald freuen, 1490
wie ich euch zu berichten habe,
denn er wurde vom Schüttelfrost geheilt.
Als er nun aufwachte,
trat er vor den König
und verkündete ihm die unerhörte Geschichte, 1495
daß das Huhn
vor Gott heilig sei.
Das wurde überall erzählt,
und alle bestätigten,
daß dies ein Zeichen sei, 1500
und stimmten einen feierlichen Gesang an.
Keiner dachte allerdings daran, sich bei Reinhart zu bedanken.
Sie baten vielmehr alle,
daß der erhabene König
die Untat gebührend richte: 1505
„Vor unseren Augen
hat Gott ein Zeichen kundgetan;
Reinhart hätte es bleibenlassen sollen,

daz er an alle missetat
diesen heiligen gemartirt hat.‘ 1510

Der kvnic hiez sinen kapelan
hern Brvn nach Reinharten gan.
des wold er weigern dvrch not,
doch tet er, daz der kvnic gebot:
nach im gienge er in den walt. 1515
Reinhartes liste waren manicfalt,
des mvst engelden al daz lant.
vor sinem loche er in do vant.
daz loch in einem steine was,
da er vor sinen vienden genas. 1520
der bvrck sprichet man noch,
so man si nennet, ‚vbel loch‘[57].
Reinhart konde wol enpfan
des richin kunigis capilan.
er sprach: ‚willichomen, edile scribare, 1525
nv suln ir mir sagin mere,
wiez da ze hove stat;
ich weiz wol, ir sint des kuniges rat.‘

‚Da bistu beclagit sere.
alse lieb dir si din ere, 1530
so kum fur unde entrede dich,
daz gebutit dir der kunic rich.‘
Reinhart sprach: ‚her capilan,
nu suln wir inbizzen gan,
so vare wir ze hove deste baz.‘ 1535
Reinhartis triwe waren laz.

---

des richen kvniges kapelan.
‚willekvmen, edler schribere‘, 1525
sprach er, ‚nv saget mir mere,
wie iz da ze hove stat.
ich weiz wol, ir sit des kvnges rat‘.
‚da bistv beklaget sere.
also lieb so dir si din ere, 1530

diese makellose Heilige
so zu martern." 1510
Der König befahl darauf seinem Hofkaplan,
Herrn Brun, Reinhart aufzusuchen.
Der wollte sich aus Furcht vor Bedrängnis weigern,
doch folgte er dem Gebot des Königs
und ging zu jenem in den Wald. 1515
Reinharts Listenreichtum war aber unermeßlich;
das ganze Land mußte darunter leiden.
Brun traf ihn vor seiner Höhle.
Sie lag in einem Fels,
wo er vor seinen Feinden sicher war. 1520
Die Festung heißt heute noch,
wenn man von ihr redet: ‚üble Höhle'.
Reinhart war gut vorbereitet,
den Hofkaplan des hehren Königs zu empfangen:
„Willkommen, edler Schreiber, 1525
sagt mir doch,
wie es am Hof aussieht;
ich weiß ja, daß Ihr zu den Räten des Königs gehört."
„Dort bist du heftig angeklagt.
Wenn dir dein Ansehen lieb ist, 1530
dann komm hin und verantworte dich;
so gebietet es dir der hehre König."
Reinhart antwortete: „Herr Kaplan,
laßt uns doch erst einmal speisen,
dann können wir um so besser zum Hof gehen." 1535
Reinharts aufrichtige Gesinnung war dabei höchst zweifelhaft:

---

so kvme vur vnde entrede dich,
man hat nach dir gesendet mich'.
Reinhart sprach: ‚her kapelan,
nv svl wir enbizen gan,
so vare wir ze hove dester baz.' 1535
Reinhartes trewen waren laz.

,Einen bvom waiz ich wol,
der ist guotis honiges vol.'
,nu wol hin, des gerte ih ie.'
her Bruon mit Reinharte gie. 1540
er wistin, da ein vilan
einen wecke hate getan
in ein bloch sere geslagin.
der tievil hate in dar getragin.
,her capilan, lieber friunt min, 1545
nu svln ir gemeine sin
unde werbint mit sinnen,
hie sint vil binen innen.'
Umbe die binen er doch niht enliez,
daz huobet er in daz bluoch stiez. 1550
Reinhart den wecke zucte,
daz bloch zesamene ructe.
Der capilan was gevangin,
er muosę inbizin lange.
her Brvn der scre: ,oho!' 1555
Reinhart sprach: ,wie tuont ir so?
ich hate ivch wol gewarnot;
ivch duont die binen leider not.
inbizzint gemetliche!
der kunic ist so riche, 1560

,einen bovm weiz ich wol,
der ist gvtes hoeneges vol'.
,nv wol hin!' sprach er, ,des gert ich ie'.
her Brvn mit Reinharte gie. 1540
er wizet in, do ein villan
einen weck hat getan
in ein bloch vnde hat in dvrchgeslagen –
der tevfel hat in dar getragen.
er sprach: ,liber vrvnt min, 1545
iz sol allez gemeine sin
vnde werbet mit sinnen,
hie ist vil binen innen.'

„Ich kenne einen Baum,
der voll von Honig ist."
„Nur auf, darauf war ich schon immer scharf!"
Herr Brun ging mit Reinhart los. 1540
Der führte ihn zu einer Stelle, wo ein Bauer
einen Keil
tief in einen Stamm geschlagen hatte.
Der Teufel hatte Brun dorthingebracht.
„Herr Kaplan, mein lieber Freund, 1545
das wird jetzt uns gehören;
doch nehmt Euch in acht,
denn hier sind viele Bienen drin."
Aber trotz der Bienen konnte es jener nicht lassen,
seinen Kopf in den Stamm zu zwängen. 1550
Da zog Reinhart den Keil weg,
und der Stamm klemmte zu.
Der Kaplan war gefangen
und konnte jetzt lange Mahlzeit halten.
Herr Brun schrie: „Ach und Weh!" 1555
Reinhart meinte: „Was fällt Euch ein?
Ich hatte Euch genügend gewarnt;
jetzt bringen die Bienen Euch in Bedrängnis.
Haltet nur in Ruhe Mahlzeit.
Der König ist so mächtig, 1560

---

vmb die binne ers doch niht liez,
daz hovbet er in daz bloch stiez. 1550
Reinhart den wecke inzvckte,
daz hovbet er im zedrvckte.
der capelan was gevangen,
in mochte des ezzens wol belangen.
er Brvn schrei: ‚och' vnde ‚o', 1555
Reinhart sprach: ‚wi tvt ir so?
ich hatte vch wol gewarnet e.
evch tvnt die bine wenic we.
nv ezzet gemeliche!
der kvnick ist so riche, 1560

daz erz mir wol uergeltin kan.'
do huob er sich dannan.
Der capilan begunde sich clagin.
do gehorte er komin einen wagin,
des war sin angist grozlich, 1565
vil harte strebiter hinder sich.
Der mit deme wagine in gesach,
nehein wort er do sprach,
e er widir in daz dorf kam.
ze der kirchen lief er unde nam 1570
die glocgesnuore in die hant
unde lute daz ez scal ubir alliz daz lant
unde sturmde sere. swer daz vernam,
vil sciere er zvo deme dorfe kam. 1574
Der geburе sagite mere, 1577
daz ein ber were
in sime bloche haft.
,daz hat getan div gotis craft. 1580
vil wol ich ivch dar gewisin kan.'
da huob sich wip unde man.
daz warin angistliche dinc.
do kam ein stolz spranzinc,

---

daz er mirz wol vergelten kan.'
do hvb er sich balde dan.
Der capelan begonde sich clagen,
do hort er kvmen einen wagen,
des wart sin angest grozlich. 1565
vil vaste strebt er hinder sich.
do in der wagenman ersach,
dehein wort er me sprach,
e er wider in daz dorf qvam.
zv der kirchen lief er vnde nam 1570
die glocsnvr in die hant
vnde lvtte die glocgen, di er vant,

daß er mir das sicher begleichen kann."
Darauf machte er sich fort.
Der Kaplan brach über sein Schicksal in Klagen aus.
Schon hörte er einen Wagen näher kommen,
worüber er gewaltige Angst bekam. 1565
Kräftig zerrte er nach hinten.
Als der auf dem Wagen ihn erblickte,
sagte er kein Wort,
bis er wieder im Dorf war.
Er lief in die Kirche, ergriff 1570
die Glockenseile
und läutete Sturm, daß es ins ganze Land hinausschallte.
Alle, die das hörten,
eilten sofort ins Dorf. 1574
Da erzählte der Bauer, 1577
daß ein Bär
in seinem Stamm eingeklemmt sei.
„Das hat Gott bewirkt; 1580
ich kann euch genau hinführen."
Darauf machten sich Frauen und Männer auf den Weg.
Das waren schreckenerregende Ereignisse.
Ein stolzer Geck

---

vaste zv stvrme, daz der schal
qvam in daz dorf vber al,
daz die gebvre alle 1575
qvamen zv dem schalle.
der gebvre sagte mere,
daz ein bere behafftet were
an meisters iagerschaft:
‚daz hat getan die gotes kraft. 1580
vil wol ich evch dar gewisen kan.'
do hvb sich wib vnde man,
daz was ein engestliches dinc.
do qvam ein kvndic sprenzinc,

da er den bern Brunen vant. 1585
einen burduz truoc er an der hant.
der capilan horte wol den doz,
sin angist der was vil groz.
die fuoze sazter an daz bloch sa
unde zoch sich uz, doch liez er da 1590
beide die oren unde die huot.
daz honic duhte in niht ze guot.
Dannen huob sich der bote.
vernement von seltsaneme spote:
Reinhart vor siner bvrc saz, 1595
der lechirheite ime nie vergaz.
nu mvgint ir horen, wie er sprach,
do er her Brunen alse bloz sach.
er sprach: ‚gvte her capilan,
war hant ir iwer huotelin getan? 1600
hant irz gesezzit vmbe win?
owi, daz lastir ware min,
daz ir da sagetint ze hove mere,
daz ich bose wirt ware!‘ 1604
Her Brun kan ze hove bloz, 1607
do wart sin clage vil groz.

---

da er h[ ]ern Brvnen vant, 1585
ein stangen trvc er an der hant.
der kapelan horte wol den doz,
sin angest was michel vnde groz.
die vuze sazte er an daz bloch sa
vnde zoch sich ovz, doch liez er da 1590
beide oren vnde den hvt.
daz honich dvcht in niht ze gvt.
dannen hvb sich der bote.
vernemet von selzeme spote:
Reinhart vor siner bvrck saz, 1595
leckerheite er niht vergaz;

fand den Bären Brun zuerst; 1585
er hatte einen Knüppel in der Hand.
Der Kaplan hörte den Lärm genau,
und seine Angst war unbeschreiblich.
Er stemmte seine Füße gegen den Stamm
und wand sich heraus, doch ließ er 1590
seine Ohren und Kopfhaut zurück.
Der Honig kam ihm wenig verlockend vor.
So eilte der Königsbote davon.
Jetzt hört euch einmal abgefeimten Spott an:
Reinhart saß vor seiner Festung, 1595
er, der nie um Bosheiten verlegen war.
Hört euch an, was er sagte,
als er Herrn Brun so entblößt sah:
„Bester Herr Kaplan,
wo habt Ihr nur Euer Hütchen? 1600
Habt Ihr es um Wein versetzt?
O weh, das wäre für mich eine Schande,
wenn Ihr am Hof erzähltet,
daß ich ein schlechter Gastgeber wäre!" 1604
Herr Brun kam nun entblößt am Hof an 1607
und klagte sehr heftig.

---

nv horet rechte, wi er sprach,
do er hern Brvnen bloz gesach.
er sprach: ‚gvt herre, her kapelan,
war habt ir ewern hvt getan? 1600
hat irn gesetzet vmme win?
owe, daz laster were min,
daz sait ir ze hove mere,
daz ich boser wirt were.‘
Er Brvn vor zorne niht sprach, 1605
wan daz er in vbellich ane sach.
her Brvn qvam zv hove bloz,
sin clage wart michel vnde groz.

dar kamen tier gedrungen,
alte vnde ivnge, 1610
vnde scowitten die blattin breit.
do clagiter die grimmen leit
deme kunige, sin capilan.
er sprach: ‚diz hat mir Reinhart getan.
ich gebot ime, kunic, fur dich; 1615
drut herre, nu sich,
wie er mich hat gehandelot;
mir ware liebir der dot!‘
Der kunic wart zornic getan
vmbe sinen drut capilan, 1620
ime wart sin muot vil sware.
waz drvmbe reht ware,
fragiter zehant den biber.
er sprach: ‚herre da nist niet wider:
ich verteile ime lip unde guot, 1629
unde swer ime deheinen rat dvot, 1630
der sol in ivwerre ahte sin.
daz sprichich bi dem eide min.‘
der hirz Randolt sprach: ‚daz ist reht.‘
es gevolgete manic gvot kneht.

---

do qvamen die tyer gedrvngen,
die alden vnt die ivngen, 1610
vnde schoweten die blatten breit.
do klagte grvndelose leit
dem kvnege sin capelan,
er sprach: ‚ditz hat mir Reinhart getan.
ich gebot im, kvnic, vur dich. 1615
trvt herre, nv sich,
wie er mich hat bracht zv dirre not;
mir were liber der tot!‘
der kvnic wart zorniclich getan
vmme sinen kapelan, 1620
im wart der mvt vil swere.

Die Tiere drängten sich heran –
alt und jung – 1610
und betrachteten die allzu große Glatze.
Da klagte er die schlimme Schmach
dem König, er, sein Kaplan:
„Das hat mir Reinhart zugefügt.
Ich hatte ihn, König, vor dich geladen; 1615
mein lieber Herr, nun sieh,
wie er mich behandelt hat;
lieber wäre ich tot!"
Der König geriet in Zorn
wegen seines lieben Kaplans; 1620
ihm wurde es schwer ums Herz.
Er fragte sogleich den Biber,
was jetzt rechtens sei.
Der meinte: „Herr, hier gibt es nichts mehr zu überlegen:
ich verurteile ihn zum Verlust seines Lebens und
Besitzes; 1629
wer ihn noch in irgendeiner Weise deckt, 1630
der sei in Eurer Acht.
Das sage ich unter Eid aus."
Der Hirsch Randolt bekräftigte dies: „So ist es rechtens."
Noch viele tüchtige Gefolgsleute schlossen sich an.

---

was dar vmme recht were,
vraget er den biber ze stvnt.
‚herre, als mir dar vmme ist chvnt,
so sprich ich bi dem eide 1625
nimanne ze libe noch ze leide
vnde bi der trewe min,
daz hi wider niht sol sin,
ich verteil ime beide lip vnde gvt,
vnde swer im keinen rat tvt, 1630
daz man den ze echte tvn sol.
des mvgen dise herren gevolgen wol.'
Randolt sprach: ‚daz ist recht',
des volget manic gvt knecht.

der elephant sprach irbolgin: 1635
,des wil ich niht gevolgin.
ein urteil ist hie vurkomen –
daz hant ir alle wol vernomen –
die inmac nieman wenden:
man sol nach ime senden 1640
botin vnze an dristunt.
der tivel var ime in den munt,
swer liege bi diseme eide
ieman zeleide!'
Des wart do gevolgot. 1645
des kam Diebreht ze not.
der kunic hiez in vur in stan,
er sprach: ,du solt nach Reinharte gan.'
do sprach Diebreht:
,herre, daz lan ich an reht; 1650
er ist min liebir kunnelinc.'
,dv enmaht durh dehein dinc
sin vber werdin', sprach Randolt,
,ir sint ein andir doch borholt!'
Der kvnic gebot imez an den lip. 1655
Diebreht sprach: ,nu han ich cit.'
er huob sich harte balde.
do vant er in deme walde

---

der helfant sprach erbolgen: 1635
,des wil ich niht volgen!
ein vrteil ist hie vurkvmen,
als ir alle hat vernvmen,
daz inmac niman erwenden:
man sol nach im senden 1640
boten me dan dristvnt!
der tevfel var im in den mvnt,
swer liege bi sinem eide
iman ze libe oder ze leide!'
des volgten si, wan iz was reht. 1645
des qvam ze not her Dypreht.

Der Elefant jedoch meldete sich erzürnt zu Wort: 1635
„Dem kann ich nicht zustimmen;
hier ist früher ein Urteil gefällt worden –
ihr habt es alle gehört –,
das nun keiner ändern kann:
man muß Boten an ihn schicken, 1640
und zwar bis zu dreimal.
Der Teufel fahre dem ins Maul,
der mit seinem Eide
jemandem durch glatten Betrug Leid zufügt."
Dem leistete man Folge; 1645
deswegen sollte Diepreht in Bedrängnis geraten.
Der König ließ ihn vor sich treten
und forderte ihn auf: „Du wirst Reinhart aufsuchen."
Diepreht antwortete:
„Herr, das kann ich rechtmäßig ablehnen, 1650
denn er ist mein lieber Verwandter."
„Du kannst durch nichts in der Welt
den Auftrag loswerden", rief Randolt,
„ihr seid euch doch wenig herzlich zugetan!"
Der König befahl es ihm bei seinem Leben, 1655
und Diepreht sagte: „Dann will ich mich beeilen."
Er machte sich sofort auf den Weg.
Im Wald traf er dann

Der kvnic hie in fvr sich stan
vnde nach Reinharte gan.
do sprach Dipreht zv stvnt:
‚daz lantrecht ist mir niht kvnt; 1650
herre, er ist min kvllinc.'
‚dvne macht dvrch keine dinc
dises vberwerden', sprach Randolt,
‚ir sit ein ander enborholt'.
der kvnic iz im an den lip gebot. 1655
Diprecht sprach: ‚ditz tvt mir not.'
er hvb sich harte balde.
do vant er in dem walde

sinen neuen Reinhart,
der kunde manigen vbil art. 1660
nu horint, wie Reinhart sprach,
do er sinen neuen ane sach.
er sprach: ‚willikomen, sippebluot![58]
wie we mir min herze tvot,
daz du mich hast vermiten so, 1665
ich newart nie gastes so fro.‘
Diebreht sprach: ‚des habe danch!
ez duhte oh mih harte lanch.
der kunic hat mich ze dir gesant
vnde swert sere, daz dv ime daz lant 1670
rumist, kumistu vur niet.
vf dich clagit alliv div diet.
dv hast vil vbile getan,
daz dv den capilan
wider santest ane hvot.‘ 1675
Reinhart sprach: ‚neve gvot,
ich gesach her Brun zeware
niht in diseme iare,
wan do mich iagite Isingrin.
waz sagistv mir, neve min? 1680
woltistv sammir gan,

---

sinen neven, der da hiez Reinhart,
der hatte mange vbele art. 1660
nv vernemet, wie Reinhart sprach,
do er sinen neven an sach:
Er sprach: ‚willekvme, sippeblvt!
vil we mir min herze tvt,
daz dv mich hast vermiden so. 1665
ich enwart nie gastes so vro.‘
Diprecht sprach: ‚nv habe danc!
iz dvncket ovch mich harte lanc.
der kvnic hat mich zv dir gesant
vnde swert, daz dv ime daz lant 1670

seinen Vetter Reinhart,
der in den übelsten Machenschaften Meister war. 1660
Hört nur, was Reinhart sagte,
als er seinen Vetter erblickte:
„Willkommen, mein lieber Verwandter!
Wie betrübt ist doch mein Herz,
daß du mich so gemieden hast; 1665
nie habe ich mich über einen Gast mehr gefreut."
Diepreht antwortete: „Vielen Dank dafür!
Mir kam die Zeit auch reichlich lang vor.
Der König hat mich zu dir geschickt;
er hat einen heiligen Eid geschworen, daß du das Land verlassen mußt, 1670
wenn du nicht vor ihn trittst.
Das ganze Volk klagt dich an.
Du hast ganz niederträchtig gehandelt,
als du den Kaplan
ohne Kopfbedeckung zurücksandtest." 1675
Reinhart gab zur Antwort: „Mein lieber Vetter,
ich habe Herrn Brun wahrhaftig
in diesem Jahr überhaupt noch nicht gesehen,
außer, als Isengrin hinter mir her war.
Was redest du also, mein Vetter? 1680
Wenn du aber einmal mit mir gehen willst,

---

rvmest, kvmestv vur nicht.
vber dich klaget alle diet.
dv hast vil vbele getan,
daz dv sinen kapelan
wider santest ane hvt.' 1675
Reinhart sprach: ‚neve gvt,
ichn gesach hern Brvn zwar
nie in disem iar,
wen do mich iagt her Ysengrin.
waz sagest dv mir, neve min? 1680
woldest dv mit mir gan,

ich gebe dir gerne des ih han:
ich han hie ein ode hus,
da han ich inne manige mus
gehaltin minin gestin, 1685
da nim dv dir die bestin.'
Div naht was heiter unde lieht,
sinen neven Reinhart da verriet.
ze deme hus fuorter in sa.
Diebrehte wart ze der spise ze ga. 1690
da lac ein gebur[59] *inne,*
deme michel unminne
Reinhart hate gitan.
daz muose uf Diebrehten gan.
einen stric rihter vur ein loch, 1695
also duont gnuoge lute och noh.
Reinharte was da gelagot,
des kam sin neue [ ] in groze not.
dar in was Diebrehte gah,
do viel er in den stric sa. 1700
daz gehorte des geburis wip,
siv sprach: ,uf, semmir min lip!' 1702
der gebur fuor uf unde irscricte . . .[60] 1705

---

ich gebe dir gerne, des ich han.
ich han hie ein veste hvs,
da inne han ich mange mvs
behalden minen gesten. 1685
da nim dv dir die besten.'
die nacht harte liecht wart,
sinen neven verriet do Reinhart.
Zv dem hvse vurt er in do.
Dyprecht was der spise vro. 1690
da lag ein pfaffe inne,
dem michel vnminne
Reinhart hat getan,

so gebe ich dir von Herzen, was ich besitze:
ich kenne hier ein verlassenes Haus,
in dem ich viele Mäuse
für meine Gäste halte; 1685
nimm dir nur die besten davon."
Die Nacht war hell und klar,
und Reinhart war dabei, seinen Vetter zu betrügen.
Er führte ihn zu dem besagten Haus.
Diepreht hatte allzu großen Appetit auf die Mahlzeit. 1690
Drinnen wohnte ein Pfaffe,
dem Reinhart oft
übel mitgespielt hatte;
das sollte nun Diepreht ausbaden.
Jener hatte nämlich eine Schlinge vor den Einschlupf gehängt, 1695
wie es auch heute noch viele tun.
Der Hinterhalt war für Reinhart gedacht,
doch jetzt kam sein Vetter in große Bedrängnis.
Diepreht hatte es eilig, nach innen zu kommen,
doch schon geriet er in die Schlinge. 1700
Das hörte die Frau des Pfaffen;
sie rief: „Nur auf, bei meinem Leben!" 1702
Der Pfaffe fuhr hoch und erschrak. 1705

---

daz mvste vf Diprechten gan.
einen stric richt er vur ein hol loch, 1695
daz tvnt ovch gnvge levte noch.
Reinharte da gelaget was,
sin neve da mit not genas.
Diprechte was in den strick gach,
nv was er gevangen nach. 1700
daz gehorte des pfaffen wip,
si sprach: ‚vf, sam mir min lip!
den vuchs wir gevangen han,
der vns den schaden hat getan!'
der heilige ewarte 1705

eine hepin mit der hant 1707
unde huop sich, da er Diebrehten vant.
er wande, daz ez ware Reinhart.
Diebrehtin rov div vart. 1710
vil harte grogezende er screi.
der gebur sluoc die snuor in zvei:
daz kam von der vinsterin.
Diebreht wolte dannin sin,
dem det ir sciere vil gelich: 1715
wider uz huob er sich.
Des geburis wip da inne
irhvob ein unminne:
ze deme orin sluoc si in mit der hant;
vil sciere siv ein schit vant, 1720
da mite zirblov siv ime den lip.
wan Werinburc, daz kamirwip,
so hatir verlorn daz lebin.
si sprah: ‚mir hati got gegebin
Reinharten, den hant ir mir genomin.‘ 1725
‚frowe, ez ist mir ubile komin‘,
sprach der geberte geburman[61]*,*
‚nu lant mih iwer hulde han.‘

---

ilte vil drate,
eine kippen nam er in die hant
vnde hvp sich, do er Diprechten vant.
er wante, iz were Reinhart.
Diprechten gerow die vart, 1710
vil vaste worgende er do schrei.
der pfaffe slvc di snvr enzwei,
daz qvam von den vinsterin.
Diprecht wolde dannen sin,
dem tet er wol gelich zehant: 1715
wider vz qvam er schire gerant.
des pfaffen wip darinne

(Er ergriff) ein Messer 1707
und eilte zu Diepreht;
er glaubte aber, es sei Reinhart.
Diepreht tat die Ausfahrt leid; 1710
er schrie Zeter und Mordio.
Da hieb der Pfaffe den Strick entzwei,
was an der Finsternis lag.
Diepreht wollte nichts wie weg
und handelte sogleich danach: 1715
er machte kehrt und eilte davon.

Die Frau des Pfaffen, die drinnengeblieben war,
brach einen schlimmen Streit vom Zaun:
sie ohrfeigte ihn mit eigener Hand;
dann ergriff sie auch noch ein Holzscheit, 1720
womit sie ihn durchbleute.
Ohne Werinburg, die Kammerfrau,
hätte er sein Leben eingebüßt.
Sie schrie: „Gott hatte mir
Reinhart in die Hand gegeben, und Ihr habt ihn mir wieder entrissen.“ 1725
„Herrin, es ist mir schlimm bekommen“,
stöhnte der verprügelte Kaplan,
„laßt mich wieder Euer Wohlwollen genießen.“

---

erhub ein vnminne:
zv dem oren slvc si in zehant,
vil schire si ein schit vant, 1720
da mite zvblov si im den lip,
vnde were Werenbvrc, sin kamerwip,
so het er verlorn sin leben.
si sprach: ‚mir hat got gegeben
Reinharten, den hat er mir benvmen.‘ 1725
‚vrowe, iz ist mir vbel kvmen‘,
sprach der geberte kapelan,
‚nv lazet mich ewer hvlde han!‘

Diebreht lie die muse da,
dannan wart ime harte ga. 1730
do lief er al die naht
wider ze houe mit grozir maht.
er vant den kunic des morgenes fruo,
mit sime stricke gie er da zuo.
do clagite vil harte 1735
Diebreht von Reinharte.
er sprach: ‚kunic, ich was in not.
mir wolte Reinhart den dot
frumen in iwir botescaft,
do beschirnde mih div gotis craft. 1740
herre, ich vnde iwer capilan
suln nimme nah ime gan.'
Den kunic muote div clage,
ovch tet im we sin siechtage.
der zorn im harte nachen gienc. 1745
den eber er ze vragen gefienc,
daz er im sagte mere,
was sines rechtes drvmme were,
daz sine boten her Brvn vnde Diprecht
svst gehandelt waren an recht. 1750
erzvrnet was des ebers mvt,
er sprach: ‚ich verteile im ere[62] vnde gvt

Diprecht liez die mvese da,
dannen hvb er sich sa. 1730
do lief er alle die nacht
wider zv hove mit grozer macht.
er vant den kvnic des morgens vrv,
mit sinem stricke gie er da zv.
er clagte vil harte 1735
dem kvnege von Reinharte,
er sprach: ‚kvnic, ich was in not,
mir wolde Reinhart den tot
vrvmen in ewer botschaft.
do beschirmt mich die gotes kraft. 1740

Diepreht ließ die Mäuse zurück;
jetzt hatte er es eilig, wegzukommen. 1730
Er eilte die ganze Nacht hindurch
mit ganzer Kraft zum Hof zurück.
Am frühen Morgen war er beim König
und trat – den Strick noch um den Hals – vor ihn.
Heftig beklagte sich 1735
Diepreht über Reinhart:
„König, ich war in Bedrängnis.
Reinhart wollte mich
wegen Eurer Botschaft in den Tod schicken;
mich rettete gerade noch Gottes Macht. 1740
Herr, ich und Euer Kaplan
werden niemals mehr zu ihm gehen."
Den König bedrückte die Klage,
und außerdem litt er unter seiner Krankheit;
tief erfüllte ihn der Zorn. 1745
Er wandte sich an den Eber mit der Bitte,
daß er ihm seine Meinung sage,
was nun Recht wäre,
nachdem seine Boten Herr Brun und Diepreht
allen Gesetzen entgegen derart behandelt worden waren. 1750
Der Eber war voll Grimm
und meinte: „Ich spreche ihm Ehre und Besitz ab;

---

herre, ich vnde ewer kapelan
svln niht me nach Reinharte gan.'
den kvnich mvte die klage,
ovch swar in sins s. . .ge.
der zorn gie ime ... 1745
... te er die ...
... daz er in ...
... tuonne h ...
... ten ane ...
... gehande ... 1750
... ebires m ...
... ime ere ...

vnde zv echte sinen lip
vnde zv einer witwen sin wip
vnde ze weisin div kint sin.‘ 1755
‚des gevolgich‘, sprach Isingrin.
Der kunic fragite alumbe
wise vnde tumbe,
ob sies woltin gevolgin div diett.
Crimel insunde sich do niet 1760
er sprach: ‚kunic edil vnde guot,
obe nv her Brun sinen hvot
ane mines neuen sculde hat verlorn,
so machet er uppigen zorn.
nv hat ovch Diebreht 1765
vil lihte vnreht,
er det Reinharte haz.
dar umbe sol nieman daz
erteilin, daz ist ein ende,
daz iwer ere swende 1770
odir iwirn hof swache,
des man anderswa gelache,
noh durh neheiner slahte mieten,
man sol einost noh gebieten
hervur deme neuen min.‘ 1775

. . . *sinen li.*
. . . *sin wip*
vnde zv weisen die kint sin.‘ 1755
‚des volge ich‘, sprach Ysengrin.
der kvnic vragete alvmme
di wisen vnde tvmmen[63],
ob iz wolde volgen die diet.
Crimel insvmete sich da niet, 1760
er sprach: ‚kvnic edel vnde gut,
ob er Brvn sinen hvt
an mines neven schvlde hat verlorn,
so machet er vppigen zorn;

er soll in die Acht getan,
seine Frau Witwe
und seine Kinder Waisen werden.“ 1755
„Dem schließe ich mich an“, sagte Isengrin.
Der König fragte ringsum
die Klugen und Unerfahrenen,
ob alle dem folgen wollten.
Krimel hielt darauf mit seiner Meinung nicht hinterm
Berg: 1760

„Edler, trefflicher König,
wenn Herr Brun seine Kopfbedeckung
ohne Zutun meines Vetters eingebüßt hat,
dann entfacht er Eure Wut ganz überflüssig;
nun hat Diepreht aber in der Tat 1765
womöglich unrecht,
haßt er doch Reinhart abgrundtief.
Deshalb darf niemand ein solches
Urteil erteilen – soweit ist die Sache sicher –,
das nur Eurer Ehre abträglich ist 1770
oder Euren Hof mindert
und worüber man anderswo lacht;
schon gar nicht soll man es aufgrund von Bestechung tun,
sondern noch einmal
meinen Vetter herbeizitieren.“ 1775

1765 nv hat ovch her Diprecht,
herre, vil lichte vnrecht.
er ist Reinharte gehaz.
dar vmme sol ovch niman daz
erteilen, daz ist ein ende,
1770 daz ewer ere schende,
vnde ewern hof geswachen,
des man anderswa mag lachen,
noch dvrch deheine mieten,
wen man sal im noch eines gebieten,
1775 her vur, dem neven min.‘

Der kunic sprach: ‚daz muostu selbe sin,
daz gebut ich dir an din lebin.
obe got wil, dir sol gebin
din neve daz botenbrot.‘
in wart ze lachen allen not. 1780
Crimele des lvtzel angest nam,
vil schire er in den walt qvam
vnde svchte sinen kvllinc.
nv vernemet seltzene dinc
vnde vremde mere, 1785
der die glichesere[64]
v kvnde geit, wen si sint gewerlich.
[ ] er ist geheizen Heinrich,
der hat die bvch zesamene geleit[65]
von Isengrines arbeit. 1790
swer wil, daz iz gelogen si,
den lat er siner gabe vri[66].
nv svl wir her wider van,
da wir die rede han verlan.
zv Reinhartes bvrk do 1795
vur Krimel, des wart vil vro
der wirt, als er in gesach.
lachende er zv im sprach:
‚willekvme, neve! dv solt mir sagen,

‚der bote‘, sprach der kvnic, ‚daz must du selbe sin,
vnde gebiete dirs an din leben.
ob got wil, dir sol geben
din neve ... brot.‘
in wart ze lachen ... 1780
... es luzil ...
... sih dan ...
... sicherlinc
... c
vnde fre ... 1785
... ezare

Der König antwortete: „Das sollst du selber tun,
das gebiete ich dir bei deinem Leben.
So Gott will, soll dir
dein Vetter das Botenbrot geben.“
Darüber mußten sie alle lachen. 1780
Krimel ängstigte das wenig,
vielmehr ging er rasch in den Wald
und suchte seinen Verwandten.
Nun hört die unglaublichen Begebenheiten,
die ganz unerhörte Geschichte, 1785
von der euch der Spielmann
der Wahrheit nach berichtet.
Sein Name ist Heinrich.
Er hat die Überlieferung
von Isengrins Drangsal vereinigt. 1790
Wer behauptet, daß sie erlogen sei,
der soll sein Geld behalten.
Laßt uns nun wieder da anknüpfen,
wo wir die Erzählung verlassen haben.
Krimel machte sich zu Reinharts Festung auf; 1795
der Hausherr freute sich sehr,
als er jenen erblickte.
Schmunzelnd redete er ihn an:
„Willkommen, Vetter! Du mußt mir berichten,

... varlich
... ich
er hat ...
... Isingrines not. 1790
swer gihet, daz ez gelogin si,
den lat er siner gebe fri.
Nu suln wir herwider van,
da wir die rede han verlan.
ze Reinhartis burc ho 1795
vuor Crimel, des wart ...

was si zv hove vber mich clagen.' 1800
,dir drewet vreisliche',
sprach er, ,der kvnic riche.
er horet von dir groze clage:
swi dv hevte an diesem tage
nicht vur kvmest, so rvme ditz lant, 1805
oder dv hast den tot an der hant!
kvmest dv aber vur gerichte
zv Isengrines gesichte,
dich verteilet alle die diet.'
er sprach: ,dar vmme laz ich iz nieht. 1810
iz enwirt mir nimmer me verwizzen.'
si sazen nider vnde enbizzen.
Do der tisch erhaben wart,
zv hant hvb sich Reinhart
vil wunderliche drate 1815
in sine kemenate
vnde nam sin houegewant,
daz aller beste, daz er dar inne vant,
eine wallekappen linin,
vnde slof san dar in. 1820
her nam eines arztes sack –
nieman evch gezelen mack
Reinhartes kvndikeit –,
er gienc, als der bvchsen treit,
beide nelikin vnde cynemin, 1825
als er solde ein arzet sin.
er trvg mange wurtz vnerkant.
einen stab nam er an die hant,
ze hove hvb er sich balde
mit sinem neven vz dem walde. 1830
ein crvze macht er vur sich,
er sprach: ,got beware nv mich

. . . r sih 1831
der riche got . . .

was man mir am Hof vorwirft." 1800
„Dir droht ganz entsetzlich",
erwiderte jener, „der mächtige König.
Er hört über dich große Klagen:
wenn du nicht noch am heutigen Tag
vor ihn trittst, verlaß dies Land, 1805
oder du bist des Todes!
Kommst du aber vors Gericht
unter Isengrins Augen,
so verurteilt dich das ganze Volk."
Jener antwortete: „Das wird mich nicht abhalten. 1810
Es soll mir niemals mehr etwas vorgeworfen werden."
Sie setzten sich hin und speisten.
Als die Tafel aufgehoben war,
ging Reinhart ohne zu zögern –
– man kann nur staunen – eilig 1815
in sein Gemach
und holte sein Hofgewand,
das allerbeste, das er drinnen hatte –
einen linnenen Pilgermantel –,
und schlüpfte rasch hinein. 1820
Er nahm seine Arzttasche –
niemand kann
all die Listen Reinharts erzählen –
und ging wie ein Schwerbeladener los,
mit Behältern voll von Nelken und Zimt: 1825
ganz wie ein richtiger Arzt.
Er hatte viele unbekannte Kräuter bei sich,
ergriff einen Pilgerstab dazu
und eilte rasch
mit seinem Vetter aus dem Wald zum Hof. 1830
Er bekreuzigte sich
und meinte: „Gott behüte mich

vor bosen lvgeneren,
daz si mich niht besweren.'
Do Reinhart ze hove qvam, 1835
manic tier vreisam
sprach albesvndern:
,nv mvget ir sehen wunder,
wa Reinhart her gat,
der manic tier gehonet hat. 1840
er ist vorn Hersantes amis:
der si beide hienge vf ein ris,
daz solde niman clagen niht;
was solde ir der bosewiht?'
di erzvrnten knechte 1845
schreiten uf in von rechte.[67]
do clagte sere er Isengrin,
daz im were daz wip sin
gehonet. do sprach der kapelan:
,er hat ovch mir leide getan.' 1850
Dipreht sprach: ,herre kvnic, sehet, wi er stat,
der evch vil lasters erboten hat!
nv lazet in evch niht entwenken,
ir svlt in heizen hengen,
wend er ist zware 1855

---

vor bosin lugenarin
. . . iiht beswarin
Reinhart ze . . . 1835
. . . nic tier freisam
. . . idir
nu mugint . . . dir
wa Reinhart her gat
. . . gehonit hat 1840
ez . . . ein mist
der sie bei . . . if ein ris
daz solte . . . gin niht
waz solte . . . iht 1844

vor üblen Lügnern,
daß sie mir keinen Kummer machen.“
Als Reinhart am Hof ankam, 1835
sagten viele starke Tiere
für sich:
„Nun könnt ihr das Wunderding sehen,
wie Reinhart dahergeht,
der so viele Tiere seinen Hohn hat spüren lassen. 1840
Er ist Frau Hersants Liebhaber:
wenn einer sie beide an einem Ast aufknüpfte,
sollte das niemand beklagen.
Was hatte der Übeltäter auch bei ihr zu suchen?“
Die aufgebrachte Schar 1845
beschuldigte ihn mit vollem Recht.
Isengrin klagte heftig,
daß ihm seine Gattin
entehrt worden war. Der Kaplan sagte:
„Er hat auch mir Leid zugefügt.“ 1850
Diepreht fuhr fort: „Herr König, seht nur, wie er dasteht,
der Euch so viel Schande bereitet hat!
Laßt ihn Euch nicht entrinnen,
denn Ihr müßt ihn hängen lassen,
weil er wahrhaftig 1855

Reinhart gie an den ... a
der kunic hiez in fur ... b
... zurneten guten kneh ... 1845
... groz gebrehte
... sere Isingrin
daz div ... e sin
ware geho ... capilan
er hat ovch ... began 1850
nu lant ... twenkin 1853
ir suln ... kin
wan er ist ... 1855

ein verrataere.'
Scantecler clagte sin kint,
er sprach: ,kvnic, wir wizzen wol, daz ir sint
vnser rechte richtere,
dar vmb ist vil swere, 1860
daz ir disen morder lazet stan.
man solde in nv erhangen han.'
do sprach der rabe Dyzelin:
,herre, henget den neven min.'
Reinhartes liste waren gros, 1865
er sprach: ,kvnic, was sol dirre doz?
ich bin in mangen hof kvmen,
daz ich selden han vernvmen
solche vngezogenheit.
des war, iz ist mir vur evh leit.' 1870
der kvnic sprach: ,iz ist also.'
vberbrechten verbot man do.
Reinhart sprach: ,evch enpevtet den dienst sin,
reicher kvnich, meister Pendin,
ein artzt von Salerne, 1875
der sehe ewer ere gerne,
vnde dar zv alle, di da sint,
beide di alden vnt di kint.
vnde geschiht evch an dem liebe icht,

... verratere
Scanti ... sin kint
er sprah ... wizzin wol daz ir ...
... rehtir rihtare
von ... arte sware 1860
daz ir ...ge lant stan
disen ... suln in heizin han
... pe Diezelin
henkint ... en min
Reinhartis liste ... roz 1865
er sprach kunic waz sol dirre do ...
... manigen hof ko ...

ein Verräter ist."
Scantecler klagte wegen seiner Tochter:
„König, wir wissen genau, daß Ihr
unser rechtmäßiger Richter seid;
deshalb ist es sehr schlimm, 1860
wenn Ihr diesen Mörder am Leben laßt.
Man sollte ihn auf der Stelle aufknüpfen."
Der Rabe Diezelin fügte hinzu:
„Herr, hängt meinen Vetter nur auf."
Reinharts Listenreichtum war jedoch unerschöpflich; 1865
er begann: „König, was soll dieser Lärm?
Ich bin schon an vielen Höfen gewesen,
aber noch nie habe ich
eine solche Zuchtlosigkeit bemerkt.
Wahrhaftig, es tut mir für Euch leid." 1870
Der König antwortete: „So ist es nun einmal."
Man verbot das Schreien.
Reinhart fuhr fort: „Euch, mächtiger König,
entbietet Meister Bendin seine Dienste,
ein Arzt aus Salerno, 1875
dem es um Euer Ansehen zu tun ist –
wie allen dort,
jung und alt;
stößt Euch etwas zu,

... tin han vernomen
... gezoginheit
des ... vur ivch leit 1870
D ... reht
do verbot er ...
Reinhart sprach uch inbut ... sin
richir kunic ...
ein arzat von Salı ... 1875
... ere gerne
der zvo alle ...
... de die altin vnde die k ...
... iv an dem libe iet

daz enmvgen si vberwinden niht. 1880
herre, ich was zv Salerne[68]
dar vmme, daz ich gerne
evh hvlfe von diesen sichtagen.
ich weiz wol, daz allez ewer clagen
in dem hovbet ist, swaz iz mvge sin. 1885
evch enpevtet meister Bendin,
daz ir evh niht svlt vergezzen,
irn svlt tegliche ezzen
dirre lactewerien, di er evh hat gesant.'
,daz leist ich', sprach der kvnic ze hant 1890
vnde liez slifen sinen zorn.
Reinhart sprach: ,vil manic dorn
hat mich in den fvz gestochen
in disen siben wochen,
daz tvt mir, kvnic, harte we. 1895
evch enpevtet der arzet me,
ob ir einen alden wolf mvget vinden,
den svlt ir heizen schinden,
ovch mvzet ir eines bern hvt han.'
der kvnic sprach: ,daz si der kapelan.' 1900
,da mite genezet ir, herre gvt.
vz einer katzen einen hvt
mvzet ir han ze aller not,
oder iz were, weizgot, ewer tot.'

... sie vberwinden niet 1880
... was ze Salerne
da ... gerne
vch hulfe vo ...
... he wol daz uch gri ...
... huobet swaz ez si 1885
... stin Bendin
daz ... latewaria

daz le ... iesa 1890
vnde liez slif ...

so werden sie nicht darüber hinwegkommen. 1880
Herr, ich war deshalb in Salerno,
weil ich begierig bin,
Euch von Eurer Krankheit gesunden zu sehen.
Ich weiß genau, daß Eure ganze Klage
ihren Ursprung im Kopf hat, was es auch sein mag. 1885
Meister Bendin läßt Euch sagen,
daß Ihr nicht unterlassen dürft,
täglich diese Heilkräuter zu essen,
die er Euch gesandt hat."
„Das will ich gerne tun", sagte der König sofort 1890
und ließ seinen Zorn verrauchen.
Reinhart fuhr fort: „Viele Dornen
haben mich in die Füße gestochen
in diesen sieben Wochen,
was mir, mein König, viele Schmerzen bereitet. 1895
Euch läßt der Arzt weiter ausrichten,
daß Ihr einem alten Wolf, wenn Ihr einen findet,
die Haut abziehen lassen sollt;
und dazu müßt Ihr noch ein Bärenfell haben."
Der König befahl: „Das muß der Kaplan sein." 1900
„Damit werdet Ihr gesund, guter Herr.
Eine Mütze aus Katzenfell
ist außerdem noch nötig,
oder es ist, weiß Gott, Euer Tod sicher."

Reinhart sprah manic dorn
... den fuoz gestochi ...
... wochin
daz dot m ... te we 1895
uch inbiet ... te me
obe ir ien ... vinden
einen altin ... scinden
ovch muoz ... bern hut han
der ... si der capilan 1900
da mi ... ir herre gvot
v ...

Der kvnic hiez do hervur gan 1905
Ysingrinen vnde sinen kapelan.
er sprach: ‚ir svlt mir ewere hevte geben,
daz beschvlde ich wider evh, di wile ich leben,
vmb ewer geslehte ze aller stvnt.
meister Reinhart hat mir getan wol kunt 1910
den sichtagen, der mir ze aller ziet
in minem hovbete leider liet.‘
‚genade, herre‘, sprach der kapelan,
‚was wunders wolt ir anegan?
den ir hat vur einen arzat, 1915
vil mangern er getoetet hat,
weizgot, denne geheilet,
vnde ist vor evh verteilet.‘
do sprach zu im her Ysengrin:
‚sol mir alsvs gerichtet sin 1920
vmme min wip, daz ist ein not.‘
sinen zagelstrvmph er herfvr bot:
‚sehet, wi mich ewer arzat
hinderwert gevnert hat.
ouch mag evch wol ergan so.‘ 1925
vil gerne weren dannen do
her Brvn vnde Ysingrin,
des enmocht doch niht sin.
sinen konden niht entwichen:
der kvnic hiez si begrifen 1930
vil mangen sinen starken kneht.
man schinte si, ovch wart Dipreht
beschindet also harte.
daz qvam von Reinharte.
der sprach: ‚ditz ist wol getan. 1935
ein versoten hvn svl wir han
mit gvtem specke eberin.‘
der kvnic sprach: ‚daz sol vor Pinte sin.‘
der kvnic hiez hervur stan
Scanteclern, er sprach: ‚ich mvz han 1940
zv einer arztie din wip.‘

Der König ließ darauf 1905
Isengrin und seinen Kaplan vor sich kommen.
„Ihr müßt mir euer Fell abtreten,
wofür ich euch und eurem ganzen Geschlecht zeitlebens
stets dankbar sein werde.
Meister Reinhart hat mir meine Krankheit erklärt, 1910
die mir fortwährend schmerzlichst
in meinem Kopf steckt."
„Gnade, Herr", rief der Kaplan,
„worauf wollt Ihr Euch nur einlassen?
Den Ihr für einen Arzt haltet, 1915
hat schon mehr ums Leben gebracht,
weiß Gott, denn genesen lassen;
außerdem ist er bei Euch verurteilt."
Isengrin sagte zu ihm:
„Wenn dies das Gericht 1920
für meine Gattin sein soll, dann steht es schlimm."
Er zeigte seinen Schwanzstummel vor und fuhr fort:
„Seht nur, wie mich Euer Arzt
am hinteren Ende geschändet hat.
Euch kann es genauso ergehen." 1925
Herr Brun und Isengrin
wären viel lieber weit weg gewesen,
doch war das nicht möglich;
sie konnten nicht entfliehen.
Der König ließ sie 1930
von vielen starken Dienern ergreifen.
Man zog ihnen das Fell ab, und auch Diepreht
erging es so.
Das alles hatte Reinhart ins Werk gesetzt.
Er sagte: „So ist es in Ordnung. 1935
Jetzt brauchen wir ein gekochtes Huhn
mit feinem Eberspeck."
Der König befahl: „Das muß Frau Pinte sein."
Er ließ Scantecler vortreten
und sagte: „Ich brauche 1940
deine Gattin für eine Kur."

‚neina, herre, si ist mir als min lip.
ezzet mich vnde lazet si genesen!'
Reinhart sprach: ‚des mag niht wesen.'
der kvnic hiez Pinten vahen, 1945
Scantecler begonde dannen gahen.
do dise rede ergienc also,
vz sime dihe sneit man do
dem eber ein stvcke harte groz.
der arztie in bedroz. 1950
‚einen hirzinen rimen svl wir han.'
der kvnic hiez her fvr sich stan
den hirz vnde sprach: ‚Randolt,
einen gvrtel dv mir geben solt,
daz beschvlde ich immer wider dich.' 1955
‚herre, des erlazet mich',
sprach der hirz, ‚dvrch got!
iz mac wol sin der werlde spot,
daz ir dem volget hie,
der nie trewe begie. 1960
der tevfel in geleret hat,
daz er sol sin ein arzat.'
Der kvnic sprach: ‚Randolt,
ich was dir ie vzer maze holt.
sterbe ich nv von den schvlden din, 1965
daz mocht dir immer leit sin.'
er getorste dem kvnige niht verzihen,
ern mvste im einen rimen lihen
von der nasen vntz an den zagel.
Reinhart was ir aller hagel. 1970
Reinhart sprach, der wunder kan:
‚kvnic, werestv ein armman,
sonen konde ich niht gehelfen dir.
von gotes genaden so habe wir,
da mite dv wol macht genesen, 1975
wilt dv mir nv gehorick wesen.'
‚ia', sprach der kvnic, ‚meister min,
swi dv mich heizest, also wil ich sin.'

„Nein, Herr, sie bedeutet mir mein Leben.
Verzehrt mich lieber selbst und laßt sie gesund!“
Reinhart entgegnete: „Das geht nicht.“
Der König ließ Pinte fangen, 1945
Scantecler eilte weg.
Nachdem dies so angeordnet war,
schnitt man vom Schinken
des Ebers ein riesiges Stück heraus.
Die Kur war ihm mehr als lästig. 1950
„Wir brauchen ein Band aus Hirschleder.“
Der König ließ den Hirsch vor sich treten
und befahl: „Randolt,
du mußt mir einen Gürtel stellen,
wofür ich dir auch immer dankbar sein werde.“ 1955
„Herr, erlaßt mir das“,
bat der Hirsch, „bei Gott im Himmel,
es kann nur den Spott der ganzen Welt bedeuten,
daß Ihr auf den hört,
der nie Treue unter Beweis gestellt hat. 1960
Der Teufel hat ihm beigebracht,
daß er ein Arzt sein soll.“
Der König antwortete: „Randolt,
ich war dir stets über die Maßen zugetan.
Sterbe ich nun durch deine Schuld, 1965
dann muß dir das immer leid tun.“
Da traute jener sich nicht, es dem König abzuschlagen,
und stellte ihm ein Lederband,
das von der Nase bis zum Schwanz reichte.
Reinhart fuhr über alle wie ein Gewitter. 1970
Er, der Wundersames vollbringt, meinte:
„König, wärest du arm,
dann könnte ich dir nicht helfen.
Von Gottes Gnade besitzen wir aber,
womit du gerettet werden kannst, 1975
wenn du nur auf mich hörst.“
„Gewiß“, sagte der König, „mein Meister,
was du verordnest, will ich auch tun.“

Reinhart konde mangen don:
,von dir wil [ ] kein lon 1980
min meister Bendin,
wen eines bibers hvt.' ,daz sal sin',
sprach der kvnic riche,
,die sende ich ime werliche'.
er hiez den biber vur sich stan, 1985
do mvste er die hvt lan.
manic tier daz gesach,
iglichez zv dem andern sprach:
,waz wol wir hie gewinnen?
wir svln vns heben hinnen, 1990
e wir verlisen die vele.'
do hvb sich manic tier snelle,
der hof zvsleif sa.
Crimel bleib da
vnde die olbente von Tvschelan, 1995
die hiez der arzat da bestan,
alsam tet er den elfant,
der daz gvte vrteil vant.
Der kvnic harte riche
der bleib da heimliche. 2000
si vuren alle dannen swinde,
da bleib sin ingesinde.
Reinhart den kvnic bat,
daz er im hieze tragen bat.
zehant der kvnic daz gebot. 2005
dem lewarte was harte not.
iz ist war, daz ich evh sagen:
daz bat wart schire getragen.
iz wart gewermet zu rechte,
daz vrvmeten gvte knechte, 2010
als iz meister Reinhart gebot.
in were leit irs herren tot.
in daz bat leit er wurze gnvc,
do sazte er im vf den katzhvt,
deme kvnege mit witzen, 2015

Reinhart beherrschte viele Hinterhältigkeiten:
„Mein Meister Bendin 1980
erwartet von dir keinen anderen Lohn
als ein Biberfell. “ „Das soll er haben“,
versprach der mächtige König,
„das schicke ich ihm wahrhaftig.“
Er ließ den Biber vor sich treten 1985
und forderte auch ihm das Fell ab.
Viele Tiere sahen das mit an
und sagten zueinander:
„Was kann hier noch geschehen?
Wir müssen uns davonmachen, 1990
ehe wir alle das Fell einbüßen.“
Viele tapfere Tiere eilten davon,
der Hoftag stob auseinander.
Nur Krimel blieb da
und das Kamel von Thuschalan; 1995
sie ließ der Arzt dableiben
und ebenso den Elefanten,
der das günstige Urteil gefällt hatte.
Der mächtige König
war nun fast allein. 2000
Alle eilten sie davon,
nur sein Gefolge blieb zurück.
Reinhart forderte den König auf,
daß er sich ein Bad herrichten ließe.
Sofort gab der seine Befehle; 2005
der Leopard beeilte sich dazu.
Es ist wahr, wie ich es euch erzähle:
das Bad wurde rasch herbeigetragen
und angenehm gewärmt;
treue Diener besorgten dies, 2010
wie es Meister Reinhart anordnete.
Sie alle wären über ihres Herren Tod betrübt gewesen.
Jener legte viele Kräuter ins Bad;
dann setzte er dem König
wohlüberlegt das Katzenfell auf 2015

in daz bat hiez er in do sitzen.
meister Reinhart, der arzat,
greif ein adern, di zv dem herzen gat,
er sprach: ,kvnic, ir sit genesen
vnde mvget nv wol vro wesen: 2020
evch was vil nahen der tot,
nv hilfet ev min kvnst vser not.
get vz!' sprach der arzat,
,ir habt gebat, daz iz wol stat.
langez bat tvt den siechen weich, 2025
ir sit ein lvtzel worden bleich.'
Der kvnic sprach, wen er siech was,
als ein man, der gerne genas:
,din gebot ich gerne ervullen sol.'
do hat er im gebettet wol 2030
vf sines kapelanes hvt,
der im da vor was vil trvt.
den kvnic dackt er vil warme,
daz yz got erbarme,
mit einer hvete, di trvg Isengrin, 2035
di verlos er an die schvlde sin.
Reinhart sich kvndikeite vleiz:
vmme daz hovbet macht er dem kvnige heiz.
der ameyze des geware wart,
vz dem hovbete tet er eine vart. 2040
do kroch er rechte, deswar,
vur sich in daz katzenhar.
der meister do den hvt nam,
mit im er an di svnnen qvam,
die liez er schinen dar in. 2045
daz wart im ein groz gewin:
den ameyzen er gesach,
zorniclichen er zv im sprach:
,ameyz, dv bist tot!
dv hast bracht zv grozer not 2050
minen herren; din leben
mvst dv dar vmme geben.'

und ließ ihn ins Bad steigen.
Meister Reinhart, der Arzt,
ergriff die Herzader
und sagte: „König, Ihr seid gesund
und könnt jetzt froh sein, 2020
denn der Tod war Euch schon nahe;
meine Kunst hat Euch aber der Drangsal entrissen.
Steigt heraus!“ Dann fuhr der Arzt fort:
„Ihr habt genug gebadet.
Langes Baden bekommt den Kranken nicht; 2025
Ihr seid schon ein wenig bleich geworden.“
Der König antwortete – noch ganz schwach,
aber wie ein Mann, der auf Genesung brennt:
„Deinen Befehl werde ich gerne erfüllen.“
Jener hatte ihm inzwischen ein Lager 2030
aus dem Fell seines Kaplans bereitet,
der ihm vorher doch so vertraut gewesen war.
Er deckte den König ganz mollig –
daß es Gott erbarme! –
mit dem Fell zu, das Isengrin getragen 2035
und ohne Schuld eingebüßt hatte.
Reinhart verstand sich vorzüglich auf Listen:
Er machte dem König heiße Umschläge ums Haupt.
Der Ameisenherr merkte das
und entwich aus dem Haupt. 2040
Er kroch wahrhaftig genau
in das Katzenhaar.
Der Meister ergriff darauf das Fell,
nahm es mit an die Sonne
und ließ sie hineinscheinen. 2045
Das brachte ihm großen Erfolg:
er erblickte den Ameisenherrn
und redete ihn zornig an:
„Ameise, das ist dein letztes Stündlein!
Du hast meinen Herrn 2050
in arge Bedrängnis gebracht; dafür
mußt du mit dem Leben bezahlen.“

der ameyze zv Reinharte sprach:
‚iz tet mir not, wen er mir zvbrach
eine gvte bvrck, der kvnic her. 2055
da geschah mir an michel ser,
daz ich nimmer mag verclagen:
miner mage lag da vil erslagen,
dar vmme han ich ditz getan.
wilt dv mich genesen lan, 2060
ich laze dich in diseme walde min
vber tvsent bvrge gewaltic sin.‘
Reinhart da gvte svne vant,
den gevangen liez er zehant.
des wart der ameyze harte vro, 2065
zv walde hvb er sich do.
het er die miete niht gegeben,
so mvst er verlorn han daz leben.
svst geschiht ovh alle tag:
swer die miete gegeben mag, 2070
daz er da mite verendet
me, danne der sich wendet
zv ervullende herren gebot
mit dinest: daz erbarme got!
Reinhart do dar widere gie, 2075
do er sinen siechen lie.

Dem kvnige greif er an die stirnen.
er sprach: ‚wie tvt ev nv daz hirne?‘
‚wol, meister, daz evh got lonen sol!
ir hat mir gearztiet wol.‘ 2080
er sprach: ‚wir svln iz ovch noch baz tvn.
weiz man noch, ob daz hvn
mit petersilien versoten si?‘
ein trvchsese stvnt da bi,
der sprach: ‚ia, daz wil ich ev sagen.‘ 2085
‚nv heizet mir her vur tragen!‘
daz wart vil schire getan.
do hiez er inbizen gan,
Reinhart, den herren sin

Der Ameisenherr gab Reinhart zur Antwort:
„Ich mußte es tun, denn er hat
meine vortreffliche Burg zerstört, dieser stolze König. 2055
Das bedeutete für mich einen großen Verlust,
den ich nie genug beklagen kann.
Viele Verwandte lagen tot da,
und darum habe ich so gehandelt.
Wenn du mich leben läßt, 2060
kannst du in diesem meinem Wald
über mehr als tausend Burgen herrschen."
Reinhart fand damit eine gute Sühne
und entließ den Gefangenen auf der Stelle.
Darüber freute sich der Ameisenherr sehr 2065
und enteilte in den Wald.
Hätte er das Bestechungsgeld nicht aufgebracht,
so wäre es mit ihm zu Ende gewesen.
So geht es auch heute noch jeden Tag:
wer das Bestechungsgeld zahlen kann, 2070
erreicht mehr,
als wenn er sein Heil darin sucht,
das Gebot seines Herrn
treu zu besorgen: das erbarme Gott!

Reinhart ging wieder zurück, 2075
wo er seinen Kranken verlassen hatte.
Er fühlte dem König an die Stirn
und sagte: „Wie ist Euch jetzt in Eurem Kopf?"
„Gut, Meister, Gott lohne es Euch!
Ihr habt mich gut geheilt." 2080
Jener antwortete: „Wir müssen noch mehr dafür tun.
Kann sich jemand erinnern, ob das Huhn
mit Petersilie gekocht ist?"
Ein Truchseß stand dabei
und sagte: „Ja, das kann ich bestätigen." 2085
„Dann laßt es mir bringen!"
Rasch war es herbeigetragen.
Reinhart bat
seinen Herrn zu Tisch

vnde hiez in sovfen daz sodelin. 2090
der arzat des niht vergaz,
vern Pinten er da selbe az;
Reinhart, der vngetrewe slec,
Crimele gab er do den ebers spec.
den kvnic hiez er vf stan 2095
vnde eine wile sich ergan.
Reinhart, der lvtzel trewen hat,
den kvnic do genote bat
vmme sinen vrevnt, den helfant,
daz er im lihe ein lant. 2100
Der kvnic sprach: ‚daz si getan:
Beheim sol er han.‘[69]
des wart der helfant vil vro.
der kvnic hiez in do
enpfahen[70], als iz was recht. 2105
do hvb sich der gvte knecht.
er qvam dar als ein armman,
vursten amecht er da gewan.
der helfant reit in sin lant,
dar in der kvnic hatte gesant, 2110
vnde kvndete vremde mere,
daz er herre were.
vil harte er zvblowen wart,
ovch gerowen di widervart.
mochten si in getan han wunt, 2115
ern wurdes nimmer mer gesvnt.
do Reinhart den helfant
gesatzet hatte vber sin lant,
dannoch endovcht in der schalkeit gnvc niht:
den kvnic er genoete biten geriet 2120
vmme die olbente, sine vrteilerin,
er sprach: „si sol geniezen min;
lat si zem Erstein ebtessinne wesen,
so sit ir an der sele genesen.
da ist vil geistlich gebet.‘[71] 2125

und ließ ihn das Süppchen schlürfen. 2090
Der Arzt unterließ es nicht,
Frau Pinte selber zu verspeisen.
Reinhart, das untreue Leckermaul,
gab Krimel den Eberspeck.
Dann ließ er den König aufstehen 2095
und sich ein Weilchen ergehen.
Reinhart, der wenig Treue kennt,
bat dann den König beiläufig
für seinen Freund, den Elefanten,
daß er ihm ein Land zu Lehen gebe. 2100
Der König sagte: „Das ist gewährt;
er soll Böhmen haben."
Darüber freute sich der Elefant sehr.
Der König übergab es ihm
nach dem Rechtsbrauch. 2105
Darauf machte sich der wackere Held gleich auf.
Als armer Mann war er angekommen,
nun hatte er ein Fürstenamt inne.
Der Elefant reiste in sein Land,
in das ihn der König geschickt hatte, 2110
und verkündete die unerhörte Nachricht,
daß er jetzt der Herr sei.
Da wurde er aber sehr zerbleut
und mußte sich betrübt auf die Rückkehr machen.
Hätten sie ihn ernstlich verwundet, 2115
so wäre er nie mehr auf die Beine gekommen.
Nachdem Reinhart den Elefanten
über sein Land gesetzt hatte,
glaubte er immer noch nicht Bosheit genug vollbracht zu haben.
Noch einmal wandte er sich beiläufig an den König 2120
für das Kamel, das über ihn geurteilt hatte,
und sagte: „Sie soll ebenfalls von mir Nutzen haben;
laßt sie in Erstein Äbtissin sein,
dann ist Eure Seele gerettet;
dort gibt es nämlich zahlreiche geistliche Gebete." 2125

der kvnic harte gerne iz tet,
er lech iz ir mit der zeswen hant,
groze gnade si do vant.
si wante sin gewisliche
ein ebtissinne riche. 2130
do nam si vrlovb da,
si hvb sich dannen sa,
geilliche si vber den hof spranc,
si weste Reinharte danc
der vil grozen richeit. 2135
des qvam si sint in arbeit.
alsi in daz kloster qvam,
swelech ir di mere vernam,
der qvam ilende dar.
si namen vil genote war 2140
vnde vragten, wer sie were.
si sprach: ‚ich sol ev mere
kvndigen gewerliche:
mir hat der kvnic riche
disen gewalt verlihen, daz er si min: 2145
ich sol hie ebtissin sin.‘
die nvnnen hatten daz ver zorn,
des was di olbente nach verlorn;
da schreiten die closterwip,
des wart der ebtissin lip 2150
zvblven vntz an den tot,
mit griffeln taten si ir groze not,
daz wart an ir hvete schin.
di nvnnen iagten si in den rin.
alsvs lonet ir Reinhart, 2155
daz si sin vorspreche wart.
Iz ist ovch noch also getan:
swer hilfet einem vngetrewen man,
daz er sine not vberwindet,
daz er doch an im vindet 2160
valschs, des han wir gnvc gesehen
vnde mvz ovch dicke alsam geschen.

Der König erfüllte den Wunsch bereitwilligst;
er verlieh ihr das Kloster mit der Rechten,
wo sie dann großes Wohlwollen ernten sollte.
Sie sah sich schon ganz
als mächtige Äbtissin, 2130
verabschiedete sich
und eilte dorthin.
Frohgemut sprang sie über den Platz
und war Reinhart
für die große Macht zutiefst dankbar. 2135
Sie geriet aber sehr rasch in Not.
Als sie im Kloster anlangte,
kamen alle, die von ihr hörten,
eilends herbei.
Sie betrachteten sie aufmerksam 2140
und fragten, wer sie sei.
Sie antwortete: „Ich soll euch
wahrheitsgetreu die Nachricht verkündigen:
der mächtige König hat mir
die Gewalt hier verliehen: sie sei jetzt mein; 2145
ich soll hier Äbtissin werden."
Die Nonnen wurden darüber sehr zornig,
beinahe wäre das Kamel verloren gewesen.
Die Klosterfrauen drangen auf sie ein,
so daß die Äbtissin 2150
auf den Tod geprügelt wurde;
mit ihren Schreibgriffeln brachten sie sie in Bedrängnis,
wie man an ihrer Haut sehen konnte.
So jagten die Nonnen sie in den Rhein.
Das war Reinharts Lohn dafür, 2155
daß sie seine Fürsprecherin wurde.
So ist es aber noch immer:
wer einem Ungetreuen
aus der Patsche hilft,
der erntet doch nur 2160
Falschheit, wie wir genugsam bestätigt gesehen haben
und wie es auch noch oft geschehen dürfte.

alsvst hat bewart
sine vrteilere Reinhart.
der arzet was mit valsche da, 2165
den kvnic verriet er sa.
er konde mangen vbelen wanc.
er sprach: ‚herre, ich wil ev geben einen tranc,
so sit ir ze hant genesen.‘
der kvnic sprach: ‚daz sol wesen.‘ 2170
do brov er des kvniges tot.
Reinhart was vbele vnde rot,
daz tet er da vil wol schin:
er vergab dem herren sin.
daz sol niman clagen harte; 2175
waz want er han an Reinharte?
iz ist noh schade, wizze krist,
daz manic loser werder ist
ze hove, danne si ein man,
der nie valsches began. 2180
swelch herre des volget ane not
vnde teten si deme den tot,
daz weren gvte mere.
boese lvgenere
di dringen leider allez vur, 2185
die getrewen blibent vor der tvr.
Do dem kvnige der tranc wart,
dannen hvb sich Reinhart
vnde iach, er wolde nach wurzen gan.
ern hatte da niht anders getan, 2190
wen daz er ovch anderswa begienc.
Crimelen er bi der hant gevienc,
der was sin trvt kvllinc.
er sprach: ‚ich wil dir sagen ein dinc:
der kvnic mag niht genesen. 2195
wir svllen hi niht lenger wesen.‘
do hvben si sich dannen balde
mit ein ander zu dem walde.

Das war Reinharts Aufmerksamkeit
für seine Urteilsfinder.
Der Arzt war voller Hinterlist 2165
und verriet jetzt den König selbst;
er beherrschte zahlreiche Winkelzüge.
Er sagte: „Herr, ich will Euch einen Trank reichen,
dann seid Ihr sogleich wohlauf."
Der König antwortete: „Das soll geschehen." 2170
Da braute jener dem König den Tod.
Reinhart war übel und rot,
wie er jetzt vollends deutlich machte:
er vergiftete seinen Herrn.
Darüber soll aber niemand Klage führen: 2175
was glaubte jener auch an Reinhart zu besitzen?
Es ist weiß Gott eine Schande,
daß viele Betrüger bei Hof geachteter sind
als ein Mann,
der nie mit Falschheit auftrat. 2180
Brächte man die Herren ums Leben,
die dem Beispiel jener ohne Nötigung folgen –
es wäre eine gute Nachricht.
Bösartige Betrüger
dringen aber leider überall vor, 2185
die Treuen dagegen bleiben vor der Tür.
Als der König den Trank zu sich genommen hatte,
machte sich Reinhart fort
und gab vor, er wolle Kräuter suchen.
Er hatte nicht anders gehandelt, 2190
als er auch sonst zu tun pflegte.
Krimel nahm er an die Hand,
denn der war sein lieber Verwandter.
Er sagte: „Ich will dir etwas erklären:
der König kann nicht gesund werden. 2195
Wir dürfen nicht länger hier bleiben."
So liefen sie eiligst
gemeinsam zum Wald.

Reinhart gesach ane hvt da gan
hern Brvn, den kapelan. 2200
Nv vernemet, wi er sprach,
do er in erst ane sach:
,saget, edeler schribere,
was di hvt ze swere,
daz ich si vech niht sehe tragen? 2205
ich wil evch werliche sagen:
mich dvnket an den sinnen min,
svlt ir zv winter imannes vorspreche sin,
der mvez ev einen bellitz lihen,
ern mag iz ev niht verzihen, 2210
wan des dvrfet ir zv vrvmen.
owe wer hat evh evwern hvt genvmen?'
her Brvn vor zorne nieht ensprach,
vngerne er Reinharten sach,
sin widermvt was grozlich, 2215
mit grimme grein er vmb sich.
Reinhart liez hern Brvnen da,
zv siner bvrck hvb er sich sa.
Dem kvnige harte we wart,
er sprach: ,wa ist meister Reinhart? 2220
heizet in balde her gan,
mich wil ich enweiz was vbeles bestan.
iz ist mir zv dem herzen geslagen;
er kan ez dannen wol geiagen
mit gvten wurzen, di er hat. 2225
er ist ein erwelter arzat.'
den meister svchte man do,
des wart der kvnic vil vnvro,
man sagt im leide mere,
daz er hin weck were. 2230
Der kvnic weinende sprach:
,daz ich Reinharten ie gesach,
des han ich verlorn daz min leben.
owe er hat mir gift gegeben
ane schulde: ich hat ime niht getan. 2235

Dort sah Reinhart
Herrn Brun, den Kaplan, ohne Fell dahergehen. 2200
Hört nur, was er vorbrachte,
als er ihn eben erblickte:
„Sagt mir, edler Schreiber,
war Euch das Fell zu beschwerlich,
daß ich es Euch nicht tragen sehe? 2205
Ich muß doch sagen:
es scheint mir sicher,
würdet Ihr im Winter jemandes Fürsprecher sein,
so müßte er Euch einen Pelz leihen;
er kann es Euch in der Tat nicht versagen, 2210
denn den habt Ihr wirklich nötig.
O weh, wer hat Euch nur Euer Fell geraubt?"
Herr Brun brachte vor Wut keinen Laut heraus;
nach Reinhart hatte er überhaupt kein Verlangen.
Sein Zorn war gewaltig; 2215
grollend fletschte er die Zähne.
Reinhart ließ Herrn Brun zurück
und lief zu seiner Festung.
Dem König wurde ganz elend;
er fragte: „Wo ist Meister Reinhart? 2220
Laßt ihn rasch herkommen,
mir naht wer weiß was Böses.
Es ist mir jetzt zum Herzen geschlagen;
nur er kann es
mit seinen trefflichen Kräutern wieder verjagen, 2225
ist er doch ein ausgezeichneter Arzt."
Man suchte nach dem Meister,
doch der König wurde sehr traurig,
denn man brachte ihm die schlimme Nachricht,
daß jener nicht mehr da sei. 2230
Der König sagte unter Tränen:
„Daß ich Reinhart jemals begegnet bin,
das hat mich das Leben gekostet.
O weh, er gab mir ohne jeden Grund Gift;
ich hatte ihm doch nichts angetan. 2235

minen edelen kapelan
hiez ich schinden dvrch sinen rat.
swer sich an den vngetrewen lat,
dem wirt iz leit, des mvz ich iehen.
alsam ist ovch nv mir geschehen.‘ 2240
er kerte sich zv der wende,
do nam der kvnic sin ende.
sin hovbet im en drev spielt,
in nevne sich sin zvnge vielt.[72]
si weinten alle dvrch not 2245
vmbe des edelen kvniges tot,
si dreweten alle harte
dem gvten[73] Reinharte. 2248
ditz si gelogen oder war, a
got gebe vns wunecliche iar! b

Hie endet ditz mere.
daz hat der Glichesere 2250
her Heinrich getichtet
vnde lie die rime vngerichtet.
die richte sider ein ander man,
der ovch ein teil getichtes kan,
vnde hat daz ovch also getan, 2255
daz er daz mere hat verlan
gantz rechte, als iz ovch was e.
an svmeliche [ ] rime sprach er me,
danne e dran were gesprochen;
ovch hat er abe gebrochen 2260
ein teil, da der worte was zv vil.
swer im nv des lonen wil,
der bite im got geben,
die wile er lebe, ein vrolich leben
vnde daz er im die sele sende, 2265
da si vrevde habe an ende. AMen.

Meinem edlen Kaplan
habe ich auch noch auf sein Geheiß das Fell abziehen lassen.
Wer sich einem Ungetreuen überläßt,
dem naht Leid, kann ich nur sagen.
So ist es nun auch mir ergangen." 2240
Er drehte sich zur Wand hin,
dann fand der König sein Ende.
Sein Haupt spaltete sich in drei Teile,
in neun zerfiel seine Zunge.
Sie mußten alle heftig 2245
über den Tod des edlen Königs weinen.
Alle drohten sie furchtbar
dem ‚guten' Reinhart. 2248
Sei dies wahr oder erdichtet, a
Gott möge uns ein freudevolles Jahr schenken. b
Damit ist die Geschichte zu Ende.
Der Spielmann 2250
Herr Heinrich hat sie gedichtet,
ließ aber die Reime im argen.
Die glättete später ein anderer,
der auch sehr gut zu dichten versteht.
Er ist dabei so verfahren, 2255
daß er die Erzählung
ganz so belassen hat, wie sie vorher war.
In einigen Versen hat er nur etwas hinzugefügt,
was vorher nicht vorhanden war;
ebenso hat er einiges weggelassen, 2260
wo zu viele Wörter standen.
Wer ihn dafür belohnen will,
der bitte darum, daß Gott ihm
zeitlebens ein frohes Leben schenke
und daß er ihm die Seele schließlich dorthin schicke, 2265
wo immerwährende Freude herrscht. Amen.

Anmerkungen

1 Die Ankündigung unerhörter, d. h. noch niemals erzählter Geschichten gehört zu jenem Schatz an Formeln, die dem mittelalterlichen Dichter bei seiner Arbeit immer schon bereitstanden: Es handelt sich also um topische Redeweise, speziell um – auf die antike Gerichtsrede zurückgehende – Einleitungs- oder Exordialtopik. Die Funktion der hier begegnenden Formel, die in den großen Zusammenhang des Verhältnisses von Autor und Publikum gehört, ist die Weckung des Interesses und begegnet in diesem Sinne besonders in der Heldenepik mit ihrem Reichtum an Abenteuern und märchenhaften Zügen. Daß freilich dabei eine reiche innere Differenzierung zur Geltung kommt, zeigt der RdR: während Heinrich der *glîchezâre* wenige Zeilen später auf den bildhaften, d. h. moralischen Sinn verweist, dem die Fuchsgeschichten dienen sollen, steht in der ältesten Gestalt der französischen Dichtung (Branche II bis Va, das Werk Pierres de Saint-Cloud) allein der unglaubliche Krieg der beiden Widersacher im Vordergrund (II, 11 ff.), der in Branche IV dann direkt auf das *fere rire*, das Zum-Lachen-Bringen (IV, 2), bezogen wird.

2 Die Bezeichnungen für den Listenreichtum des Fuchses sind zahlreich und werden bewußt variiert. *kundicheit*, Nominalableitung von *kundic* ‚klug' (gebildet vom Präterito-Präsens *kunnen* ‚kennen, wissen'), gehört mit 9 Belegen (7, 217, 307, 364, 825, 1163, 1420, 1823) zu den häufigsten. Zur entscheidenden Charakterisierung dieser Seite füchsischen Wesens wird dann allerdings die *untriuwe*, in der unmißverständlich der unversöhnliche Sinn zum Ausdruck kommt, während etwa im VdVR mit der Bezeichnung *fel* ‚schlau' lediglich die listige Überwindung der Angriffe von außen gemeint ist.

3 *verchvint*, Zusammensetzung aus dem inzwischen ausgestorbenen *verch* (Leben) und *vîent* (Feind); bedeutet also wörtlich ‚Lebensfeind'; es wird allerdings schon im Mittelhochdeutschen durch *tôtvîent* ‚Todfeind' abgelöst. – Interessant ist, daß in der entsprechenden Szene des RdR der Fuchs eben noch nicht in diesem Sinne als der stets überlegene Böse erscheint, sondern – spannungsweckend – lediglich als *grant pourchaz* ‚großer Jäger' bezeichnet wird (II, 53).

4 Die Floskel von den *vil liben wip*, die zu Gott um das Leben des Helden beten sollen, stammt aus der höfischen Dichtung

und hat im Mund des Hahns parodistischen Charakter. Allerdings handelt es sich um eine sehr spezifische Funktion der Parodie (vgl. das Nachwort, S. 179).

5 Die auf dem RdR beruhende Traumschilderung ist als Parodie der im Heldenepos typischen, ebenfalls verhüllt dargestellten Träume zu verstehen, in denen schweres Unheil angekündigt wird. Man denke etwa an den berühmten Falkentraum der Kriemhild im „Nibelungenlied" (1. *âventiure*, Str. 13).

6 Während Pinte noch wenige Verse vorher als *henne* bezeichnet ist (54), erscheint hier die höfische Standesbezeichnung, die ‚Herrin' bedeutet. Die zum Neuhochdeutschen hin eingetretene Bedeutungsabschleifung ist immerhin noch so jung, daß bei Schiller die bekanntlich unverheiratete Königin Elisabeth von ihrem Großschatzmeister als „meine königliche Frau" angeredet werden kann. In der Übersetzung habe ich nur in der Anrede und ähnlichen formelhaften Wendungen ‚Frau' gesetzt und sonst die einfache Geschlechtsbezeichnung *wîp* als ‚Ehefrau, Gemahlin' abgehoben.

7 Die *nôt*, mit über 50 Belegen eines der häufigsten Leitwörter der Dichtung, muß in ihrem parodistischen Sinn erfaßt werden. Wie *arbeit* (vgl. V. 71) bezeichnet sie die Situation des immer neuen Gefahren ausgesetzten Helden und gibt hier die Grundsituation der durch Reinharts *untriuwe* bedrohten Tiere wieder. Ob Heinrich der *glîchezâre* damit eine Parodie des „Nibelungenlieds« beabsichtigt hat, ist umstritten (vgl. Nachwort, S. 172); nahegelegt wird dies vor allem durch die Erwähnung des Nibelungenhorts in V. 662 und durch die tragische Zuspitzung der Handlung.

8 Verwandtentreue ist das Stichwort, das Reinhart auch bei seinen folgenden Überlistungsversuchen benutzt: vgl. V. 183 und 186 (Meise), 265, 274 und 281 (Rabe). Es zeigt sich also, wie im Zeichen der *untriuwe* jene vom germanischen Denken her so überaus wichtige Bindung nur dazu ausgenutzt wird, um zum – betrügerischen – Ziel zu kommen.

9 Die untertreibende Formulierung entspricht einem stilistischen Kunstgriff mittelhochdeutscher Dichtung, der sogenannten ‚mittelhochdeutschen Ironie'; der Sinn ist der der Steigerung.

10 *gevater*, Lehnbildung nach lat. *compater* ‚Mitvater in geistlicher Verantwortung' (F. Kluge, Etymologisches Wörterbuch, Berlin [19]1963, S. 254), bezeichnet ursprünglich den Paten(onkel). Konkurrenzworte, vor allem im Mittelhochdeutschen, sind *götte* und *pfettere*. Durchgesetzt hat sich indes das ostmittel-

deutsche *pate*, nachdem *gevatter* schon früh ,Onkel, Freund der Familie' bezeichnete. Diese Bedeutung trifft in unserem Zusammenhang zu, da Reinhart ja das Kind seines *gevaters pate*, d. h. sein Patenkind nennt. Daß dabei der Sinn ,Freund der Familie' gemeint ist, bezeugt die wenig später begegnende Aufnahme Reinharts als *gevater* in die Wolfsfamilie (vgl. V. 405). Da im Neuhochdeutschen keine echte Entsprechung zur Verfügung steht, ist ausnahmsweise die alte Wortform beibehalten.

11 *leckerheit* ist als Substantivierung zu *lecker* mit dem Verb *lecken* verwandt (wie *wacker* mit *wachen*). Ursprünglich bedeutet *lecker* also ,zum Lecken reizend', von wo aus es den Sinn ,leckerhaft', d. h. ,vernascht, schmarotzerhaft' gewinnt. Dies ist die Grundlage für die Spezialbedeutung ,schelmenhaft', wobei man allerdings beim RF nicht an den liebenswürdigen Schelmen denken darf, wie er später im RdV auftritt, sondern an den böswilligen Betrüger Reinhart. Es kommt noch mehrmals im Text vor (882, 1161 und 1596) und gehört zu jenen Begriffen, die die Art des Fuchses wiedergeben (vgl. weiter *schalkeit* 207, 2119; *boesewiht* 1844; *verraetere* 1856 usf.).

12 Die mittelhochdeutschen Verwandtschaftsbezeichnungen sind nicht so fest wie im Neuhochdeutschen. So bedeutet *neve* sowohl ,Neffe' wie ,Onkel' und ,Vetter'. Da auch der Rabe Reinhart als *neven* bezeichnet (vgl. V. 300), ist hier offensichtlich ,Vetter' gemeint.

13 *hovart*, zu lesen als *hof-wart*, bezeichnet den Hofhund und gilt noch heute als eine bestimmte Hunderasse. Hier ist es als Schimpfwort benutzt.

14 Der Trick, den Reinhart hier anwendet, entstammt dem »Physiologus«, wo das Sichtotstellen der Füchsin typologisch auf die Verführungen des Teufels und der Irrlehrer bezogen wird. In der deutschen Reimfassung lautet die eigentliche Erzählung so:

Diu Vohe ist unchustich, ein tier ubillistich.
so si hungiren beginnet, unde si zezzen niht mage gewinnen,
so bewillet si sich in der roten erde
unde liget fur tot unwerde.
So si ungewaren vogele si sehent sam tote ligene,
so vliegent si dar unde sizzent uf si sa.
diu Vohe si danne vaehet, zezzen si ir gahet.

Die Auslegung beginnt:

Also tuot der tievil und alle irraere, die der Vohen bilde habent zware.
so tuont alle, die wertlichen lebent, den tot si strebent.
swie viantlichen si in selben leben, doch emphliehint si niht des tievils chelen.

(Str. 108–110, V. 751–769)

Man sieht also, aus wie verschiedenartigen Bausteinen sich die Fuchsdichtung zusammensetzt (vgl. Nachwort, S. 169 ff.).

15 Die Konjektur Baeseckes, der hier *vir* liest, beruht auf dem Vergleich mit RdR II, 991, wo von *quatre des penes* die Rede ist. Solche – nicht erzwungenen – Eingriffe scheinen uns heute jedoch problematisch.

16 Die Bezeichnung *rot* für ‚schlecht' begegnet schon im RdR, wo der Fuchs ebenfalls als *Renars li ros* (vgl. etwa Va, 749) bezeichnet ist. Noch heute gelten rote Haare nach dem Volksglauben als Zeichen von Hinterlist.

17 Das Sprichwort, das im Deutschen und Holländischen (vgl. Wander, Deutsches Sprichwörter-Lexikon 3, 1873, S. 832 Nr. 161; Hinweis bei Schröbler) nachzuweisen ist, begegnet wie überhaupt eine Reihe Verse in Freidanks „Bescheidenheit" (vgl. hier 65.22). Schon der Herausgeber Bezzenberger verglich 165.23 f. mit RF 2177; 168.11 f. mit RF 2184 (S. 458 f.). Mindestens auf drei weitere Stellen bei Freidank möchte ich hinweisen, die genau zu Szenen im RF passen:

Ez machet dicke valscher gruoz,
daz man mit valsche antwürten muoz

(V. 44. 27 f.)

entspricht genau der Diepreht-Szene (RF 313 ff.); vgl. weiterhin 44.17 ff. und RF 997 ff. oder 45.18 ff. und RF 2238 f.

18 *list* bedeutet ursprünglich ‚Kunst' im Sinne von ‚Kunstfertigkeit' und ist hier auch noch so verwendet. Erst im Zuge der Bedeutungsverengung wird *list* zur Gewandtheit im Sinne der ‚Hinterlist', die im RF dominiert.

19 *geverte* ist Nominalbildung zu *varn*, und zwar als ‚nomen actionis' (vgl. W. Henzen, Deutsche Wortbildung, Tübingen [3]1965, § 88).

20 *hobischere* (Höfling) bezeichnet hier jene Haltung höfischen Gebarens, die Reinhart nur benutzt, um an sein ganz unhöfisches Ziel zu kommen. Der Ausdruck gehört so zu jener ironischen Sprache, die den Stil Heinrichs im ganzen bestimmt.

21 *vressen*, etymologisch als *ver-ezzen*, d. h. ,ganz und gar aufessen, verschlingen', zu verstehen (vgl. sinken und ver-sinken, darben und ver-derben), steht erst im Neuhochdeutschen als Bezeichnung unfeinen Speisens dem Simplex ,essen' gegenüber. Noch bei Luther heißt es im berühmten Weihnachtslied „Vom Himmel hoch": „... daß du liegst auf dürrem Gras, davon ein Rind und Esel aß".

22 *geil* ist typisches Beispiel einer Bedeutungsverschlechterung zum Neuhochdeutschen hin; es bedeutet mhd. ,froh', so etwa in Wolframs „Parzival": *der* (Vögel) *bleip dâ lebendic ein teil, / die sît mit sange wurden geil* (119,8 f.).

23 Die Lücke in unseren Hss. läßt sich durch andere Überlieferung dem Inhalt nach mit einiger Sicherheit ergänzen: vor allem die Fassung des Marners (im RdR fehlt die Episode; im „Ysengrimus" scheint sie etwas anders erzählt) wird dem Verlorenen nahekommen: Isengrin soll – nach listiger Vorbereitung – auf dem Wolfseisen beschwören, daß Balduin ihm gehöre, wobei die Falle zuschlägt und den Lügner entmannt. Deutliche Hinweise auf die Art des Körperteilverlusts bringen im RF die folgenden Szenen um Isengrins Gesunden (V. 632), der wiederholt vorkommende Reim von *lip : wip* (V. 565 f.; 613 f., wo Schröder *gelit : wip* als ursprünglich vermutet; u. ö.) sowie vor allem die Deutung des *zagel*-Verlusts als Beschneidung durch den Prior in der Brunnenszene (V. 1013). In der späteren Gerichtsszene spielt dies insofern eine große Rolle, als Isengrin trotz der ihm zuteil gewordenen Verstümmelung den Ehrverlust seiner Frau höher bewertet.

24 *Kuonin* ist der einzige Name des Gedichts, bei dem nicht klar ist, wer gemeint ist. J. Grimm hat ihn in seinem „Sendschreiben an Karl Lachmann über Reinhart Fuchs" (Leipzig 1840, S. 53) nach Zeugnissen der germanischen Mythologie als „teufel, waldteufel" identifiziert.

25 Die Bezeichnung sexueller Vorgänge, typisches Merkmal vor allem der mittelalterlichen Schwankliteratur, begegnet im Grunde nie um ihrer selbst willen; der Reiz liegt in der mehr oder weniger deutlichen Verhüllung. Seinen Höhepunkt im Hinblick auf eine Sublimierung dieser Kunst erreicht dies im französischen Rosenroman, während hier eine derbere Darstellung vorliegt, die in S noch durch einen – allerdings unüblichen Dreierreim bewirkenden – weiteren Vers ausgeführt wird.

26 Hier bietet offenkundig P mit *gelecket* das richtige Wort, im übrigen ein Zeichen, daß S nicht Original sein kann.

27 Das mönchische Schweigegebot ist in der Benediktinerregel fixiert (Kap. VI: „De taciturnitate"); es gilt täglich *post completurium* (Kap. XLII), während die von Reinhart genannte Non – nach Matutin, Prim, Terz, Sext und vor Vesper und Komplet – früher liegt.

28 Vgl. Nachwort, S. 172.

29 Die blinde Gefräßigkeit des Wolfs, der über seiner wesenhaften Gier alle Vorsicht außer acht läßt, steht vor allem im „Ysengrimus" im Vordergrund und wird dort bis zu dem grotesken Bild ausgestaltet, daß der Wolf die Nahrung mit der Schüssel verschlingt. Erst mit dem RdR und dem ihm verbundenen RF tritt dieses Motiv in den Hintergrund, wie ja auch erst jetzt der Fuchs die eigentliche Hauptgestalt geworden ist und damit List bzw. *untriuwe* gegenüber Torheit und Gier die erste Stelle einnimmt.

30 *cehenzic*, zu lesen als *zehen-zic*, zeigt noch die alte Dekadenzählung, die seit dem 13. Jahrhundert durch *hundert* ersetzt wurde. Daß der Bearbeiter einfach *tusent* setzt, beweist, daß die alte Bezeichnung offenbar kaum noch verstanden wurde (vgl. jedoch 760, wo korrekt *hvndert* steht).

31 *frone*, Adjektiv zu ahd. *frô* (Herr), bedeutet ‚herrlich, heilig'. Als Simplex heute ausgestorben, lebt es noch weiter in ‚Fronleichnam', d. h. Leib des Herrn (Verdeutschung der mittelalterlichen Bezeichnung *Corpus Christi*).

32 Ich stelle in der Übersetzung die Zeilen um, wie es von der Logik geboten ist und außerdem durch P als original nahegelegt wird.

33 *riter* kann grundsätzlich ‚Reiter' wie ‚Ritter' bedeuten, wobei ‚Ritter' eine übers Niederdeutsche eingedrungene Lehnübersetzung von frz. *chevalier* darstellt und mit dem in der damaligen Zeit vorbildlichen flandrischen Hofleben verknüpft ist. Daß hier die Standesbezeichnung ‚Ritter' gemeint ist, geht aus der ebenfalls als Standesbezeichnung zu betrachtenden Charakterisierung Birtins als *her* hervor.

34 *irbeizte*, Präteritum des schwachen Verbs *irbeizen* (absteigen), steht in interessantem Verhältnis zu dem starken Verb *bîzen* (beißen), von dem es gebildet ist: es liegt nämlich die – faktitive – Vorstellung ‚beißen (fressen) machen' zugrunde, die – auf das Pferd bezogen – eben den Abstieg des Ritters bedeutet bzw. voraussetzt.

35 *hoher muot* (Hochgefühl) ist ein entscheidendes Signum der sublimen höfischen Lebensstimmung und gehört zu jener Zeich-

nung der Minne, die wenige Verse später durch die nassen Ohren als Ergebnis solcher Strebungen (V. 850) Grundlage parodistischer Entlarvung wird.

36 Die Formulierung gibt Aufschluß über das Verhältnis des Dichters zu seinem Publikum, das hier als Zuhörerschaft angesprochen wird. Diese Wendungen (vgl. weiterhin die Verse 253, 1102, 1784, 1822, 2201) sind allerdings im RF seltener als im RdR, wo die Handlung in viel stärkerem Maße als vom Jongleur spannend erzähltes Geschehen zu verstehen ist, das geradezu von Gestik begleitet wird. Die Verbindung der Wendung ans Publikum mit der Bitte um Lohn, d. h. mit der Heischeformel (ebenso 1791), betont die Situation des Jongleurs noch, der besondere Höhepunkte dazu benutzt, seine Zuhörer an den Lohn zu erinnern. Ob hier eine Versteinerung zum bloß literarisierten Stilelement vorliegt (Jauß) bzw. Spielmännisches gar bloß vorgespiegelt ist (Schwab), bleibt schwer entscheidbar. Falls man allerdings an der Vortragsform festhält, muß man beachten, daß wir es nicht mit einer dem mündlichen Erzählstil besonders naheliegenden schwankhaften Darstellungsweise zu tun haben, sondern mit der Entfaltung einer Warnfabel.

37 Die Verwandtschaft mit dem Verb *gern* (begehren) und damit der Zusammenhang mit dem Bedeutungsfeld von ‚Gier' ist im Mittelhochdeutschen noch lebendig. Hier ist dies genau zu berücksichtigen, da damit die – der „Ysengrimus"-Tradition entsprechende – wesenhafte Gier des Wolfs noch einmal im Ansatz als Voraussetzung des folgenden Abenteuers aufleuchtet.

38 Es ist auffällig, daß Heinrich der *glîchezâre* den Wolf nicht von vornherein als Toren darstellt, der nur dem Fuchs zu begegnen braucht, um sogleich hereinzufallen, sondern daß er von Reinhart immer erst zum Toren gemacht wird. So heißt es etwa V. 885 in häufig vorkommender Wendung: *Isengrin irgovchet wart*, womit eben das Faktitive hervortritt. Der Bearbeiter hat dies offenbar nicht bemerkt und setzt statt des Hinweises auf die *nôt* als die notwendige Folge von Isengrins Tun: *do wart aber* (wiederum!) *geeffet der gief* (Tor).

39 Die im Mittelhochdeutschen bereits ungewöhnliche volle Endung auf *-ôn* (schwaches Verb) wird hier offenbar bewußt altertümelnd benutzt, um ironisch (Zusammenhang des betrogenen Ehemanns!) die alte Reckensituation zu parodieren. Der Bearbeiter hat dies jedoch nicht mehr verstanden: so nimmt er das Verb aus dem Reim, den er mit *Ysengrin* füllt, und wechselt die ursprüngliche Bindung *don* mit dem nachgestellten Possessiv-

pronomen aus. Dieser typisch ‚glättende' Eingriff kennzeichnet die Technik des Bearbeiters gut.

40 Die Ausmalung des Paradieses durch Reinhart ist hier besonders hinterhältig, da die Reaktion des Wolfs in der Schule aus der Tradition der Tierdichtung genugsam bekannt ist; er denkt dort statt ans Buchstabieren nur an die besonders zarte Speise der Schafskinder (vgl. „Der Wolf in der Schule", abgedruckt bei J. Grimm, Reinhart Fuchs, Berlin 1834, S. 333–341). Im „Renart le Contrefait" ist der Gedanke vollends zum Schlaraffenland des Wolfs ausgesponnen, wenn von unendlichen Lämmerscharen die Rede ist und derjenige Gott am nächsten steht, der die meisten zu töten in der Lage ist (V. 27 991 ff.).

41 *selten* ist im Sinne der sogenannten ‚mittelhochdeutschen Ironie' (vgl. Anm. 11) als völlige Ausschließung zu verstehen.

42 Die Zeile ist nur mit Hilfe des RdR zu verstehen, wo es heißt:

Ysengrins n'i volt plus ester:
Son cul tourna vers orient
Et sa teste vers occident,
Et commenca a orguener
Et tres durement a usler. (IV, 324–328)

(Ysengrin wollte nicht länger säumen: er kehrte sein Hinterteil gen Osten und seinen Kopf gen Westen und begann zu singen und gewaltig zu heulen.)
Gemeint ist also die Wendung nach Osten, dem Geburtsland Christi, als typische Gebetsgebärde, die ja auch in der Ausrichtung des mittelalterlichen Kirchenschiffs ihre Bedeutung hat.

43 Die Komik der Tierszenen beruht besonders auf der Umsetzung vertrauter Verhaltensweisen oder Lebensformen in die Welt tierischer Charaktere, wobei ebendieser Schleier der Vertrautheit entlarvend zerrissen wird. Wir begreifen dies dann als Parodie (vgl. Nachwort, S. 179 f.). Hier ist es die für die mittelalterliche Literatur typische Situation der Wehklage um den Verstorbenen (berühmtes Beispiel: Laudines Klage um Askalon in Hartmanns „Iwein", V. 1317 ff.), bei der immer wieder der – sonst sorgsam ausgesparte – körperliche Schmerz geschildert wird. Die Tatsache, daß Isengrin nicht tot, sondern ‚bloß' entmannt und dazu schmählich verprügelt ist, trägt sehr zur Komik unserer Szene bei. – Charakteristische Parodien dieser Art begegnen wieder bei der Vision des Hasen und der darauf erfolgten Heiligsprechung des Huhns (V. 1481 ff.), wo die da-

mals üblichen Jenseitsvisionen und der Wunderglaube verspottet werden.

44 *urliuge*, vom Gotischen her als Zusammensetzung von *liuga* (Vertrag) und alter Verneinungspartikel *ur-* (später *un-*; vgl. *triuwe* und *untriuwe*) erkennbar, bedeutet ‚vertragsloser Zustand, Krieg' und steht im Gegensatz zur *urvêhede* (fehdeloser Zustand, Friede). Im Neuhochdeutschen als Simplex ausgestorben, lebt es im hanseatischen Orlogschiff (Kriegsschiff) weiter.

45 Die zeitliche Terminierung gehört zu den gewöhnlichen Rechtsgrundsätzen und ist so im „Sachsenspiegel" (Landrecht I, 67, § 1) festgelegt.

46 Man erinnere sich an den Bund Reinharts mit der Wolfsfamilie, der auf der Vereinigung der *kraft* mit der *list* beruhte (V. 399). Die Entwicklung zeigt, daß in diesem Bund allein die *list* triumphiert.

47 Wenn der Bearbeiter nicht geändert hat, muß man auf das Unglaubliche hinweisen, daß zu derselben Zeit, in der die höfische Minne in ihrer Blüte steht, *geminnet* als ‚vergewaltigt' erscheint. Nichts kann eindringlicher die Tendenz des *glîchezâre* unkennzeichnen, dem die Verkehrung aller Werte von der *untriuwe* her zum Thema seiner Dichtung geworden ist.

48 Der Gedanke des Landfriedens geht bis auf die fränkische Reichsverfassung zurück und entspringt dem allgemeinen Friedensschutz (-bann) des Königs. Direktes Vorbild sind aber wohl die Gottesfrieden der cluniazensischen Reform mit dem charakteristischen Fehdeverbot. Er ist im Laufe der deutschen Reichsgeschichte und in ganz Europa immer wieder als politische Initiative des Königs benutzt worden (erster Reichslandfriede 1103 in Mainz). Vor allem Barbarossa – und damit sind wir beim geschichtlichen Hintergrund unserer Dichtung – hat sich dieses Mittels häufig bedient, so gleich zu Beginn seiner Regierung 1152 mit dem Großen Landfrieden, dem zahlreiche Reichslandfrieden folgten. Der berühmte Große Mainzer Reichslandfrieden von 1235, der ein Reichsgrundgesetz bringen sollte, wurde jedoch ein Mißerfolg. – Die deutsche Bezeichnung *lantfride* begegnet übrigens hier im RF als besonders früher Beleg.

49 Der Name *Vrevil* entstammt, wie fast alle Namen, dem RdR, wo der König *Noble* heißt. Es handelt sich also um Übersetzung des fremden Wortes. *Vrevil* spielt also keineswegs auf des Königs ‚Frevel' an, wenn auch das Adjektiv so im Mittelhochdeutschen bereits neben ‚erhaben, tapfer' auftritt. Der Ale-

manne Hartmann von Aue gebraucht *vrevel* als ‚erhaben' etwa im „Gregorius", wenn der sterbende Vater den Sohn auffordert: *wis vrevele mit güete* (250); ebenso formuliert Wolfram im „Parzival": *der kiusche vrävel man* (437,12). Bei Konrad von Würzburg wird Heinrich von Kempten in der gleichnamigen Verserzählung in positivem Sinne im Hinblick auf seine *manheit frevel unde starc* genannt (740). Die Bedeutung von nhd. ‚frevelhaft' belegt allerdings schon Heinrich von Veldeke in der „Eneit" (z. B. V. 4332).

50 Das Ameisenreich erscheint also noch einmal als eine politische Welt für sich, da Vrevel ja sonst ohnehin Herr der Tiere wäre (vgl. V. 1246).

51 Vgl. Nachwort, S. 174 f.

52 *Trechtin*, ahd. *truhtîn*, beruht auf *truht* (Gefolge) und bedeutet ursprünglich den Heerführer. Es ist so mit Truch(t)-seß (Droste) verwandt. Als besonders vornehmes Wort bezeichnet es seit althochdeutscher Zeit vornehmlich Gott.

53 *brehten* ist Rechtsausdruck und bedeutet das Schweigegebot des Richters. Die ganze folgende Szene fügt sich im übrigen genau den mittelalterlichen Rechtsgewohnheiten ein; dazu gehören vor allem die Wahl des *vorsprechs*, die Beantragung des *wandels*, die Urteilsfindung und eidliche Aussage. Zum Ganzen vgl. E. Klibansky, Gerichtsszene und Prozeßform in erzählenden deutschen Dichtungen des 12.–14. Jahrhunderts, Berlin 1925 (Germanische Studien, H. 40); zum RF S. 41–56.

54 Daß unseren nhd. Abstraktbegriffen im Grunde immer Konkreta zugrundeliegen, demonstriert in aller Eindringlichkeit *leit*, das ursprünglich das ‚angetane Leid' bzw. die ‚Beleidigung' bedeutet. So will es vor allem im „Nibelungenlied" verstanden werden, leuchtet aber offenkundig auch hier durch: Indem der König die Handlungen Reinharts als persönliche Beleidigung werten soll, ist er zur Ahndung aufgerufen und wird rechtsbrüchig, wenn er dem – wie es denn auch geschieht – nicht entspricht.

55 Vgl. Nachwort, S. 180.

56 Vgl. Anm. 43.

57 *vbel loch* ist Übersetzung von *Malpertuis* im RdR. Wenn jedoch hier von einer Felsenfestung die Rede ist, so begegnet im RdR eine höfische Burg mit der *barbacane*, dem Vorwerk (I, 481), oder der *hese*, der Gattertür (I, 490). Eine solche Zeichnung höfischer Kultur gehört zur Tendenz der französischen Dichtung, das höfische Leben parodistisch zu entlarven, wäh-

rend es im RF eher um die Macht der *untriuwe* in einem allgemeineren moralischen Zusammenhang geht.

58 Wie man sieht, hat sich an Reinharts ‚Tricks' nichts geändert: Wie bei der ersten Begegnung mit Diepreht sucht er mit der Anspielung auf die Verwandtschaft Vertrauen zu erwecken (vgl. V. 266). So kann von hier aus einmal deutlich werden, daß auch die ersten Szenen trotz ihres für Reinhart nachteiligen Ausgangs nicht aus dem Konzept herausfallen: Hier wie dort geht es um die alles beherrschende *untriuwe*.

59 Für *gebur* bietet P *pfaffe*, was zweifellos das Richtige trifft. Daß der Schreiber von S geändert hat, belegt einerseits der Reim 1727 f., wo es statt *geburman : han* lauten muß *kapelan : han*, andererseits die Schilderung in RdR I, 822 ff. Der Grund für die Änderung muß darin gesucht werden, daß der Schreiber entweder selbst an der Pfaffensatire Anstoß nahm oder sie seinem Publikum nicht zumuten wollte. Immerhin hat er die Derbheiten der Hersant-Szenen nicht angetastet, so daß damit rückblickend deutlich wird, wie wenig solche Schilderungen gegen Tabus verstießen.

60 Die offenkundige Textverderbnis – es fehlt u. a. ein ganzer Vers – kann mit P geheilt werden, wobei zugleich der Grund deutlich hervortritt: Bei der Änderung von *êwarte* (‚Priester'; Zusammensetzung aus *ê*, Gesetz, und *warte* ‚Wächter') in *gebur* mußte der Reim zerstört werden, was der Schreiber dann nicht mehr zu heilen imstande war.

61 Vgl. Anm. 59.

62 *êre*, etymologisch mit lat. *aestimare* (schätzen) verwandt und nhd. meist am treffendsten mit ‚Ansehen' übersetzt, kann hier einmal als ‚Ehre' wiedergegeben werden, da im vorliegenden Zusammenhang auch nhd. ‚Ehre' als die äußere Einschätzung aufgefaßt werden muß.

63 *tump*, got. *dumbs* ‚stumm' (dazu ohne Nasalinfix got. *daubs* ‚taub'), bedeutet seiner Etymologie nach ‚stumpfsinnig', wobei zunächst einzelne Sinne angesprochen werden konnten (im Griechischen bedeutet τυφλός ‚blind'). Erst später wurde es auf die Ungeschärftheit des Verstandes bezogen, wobei dies wiederum auf das noch unerfahrene Kind (berühmtes Beispiel ist Parzival) und den niemals lernenden Toren (etwa in den Schwänken) angewendet werden kann. Interessant ist, daß das Gegenstück *wîse* etymologisch mit lat. *videre* verwandt ist und so im Grunde ‚durch Sehen erfahren' bedeutet. Hier wie dort

liegt also dem Abstraktbegriff eine ganz konkrete Vorstellung zugrunde.

64 Die Bezeichnung *glichesere*, durch S noch gerade als *(glich)ezare* gedeckt, ist von Wallner in einer interessanten Textherstellung dieser entscheidenden Stelle auf den Fuchs bezogen worden [er liest in V. 1786: *(von) dem glichezare*], der dann der Gleisner im Sinne von Lügner wäre. Nach Düwel ist jedoch (ähnlich wie bei Grimm sowie Baesecke) das *glichezare* auf den Dichter zu beziehen und bedeutet ‚Spielmann', wobei U. Schwab hinter dieser Bezeichnung eine Hüllform vermutet, die der Dichter benutzt, um in scheinbar harmloser Tarnung seine – politische – Wahrheit sagen zu können.

65 *arbeit* ist durch S eindeutig als Konjektur des Bearbeiters erkennbar, der offensichtlich das originale *gesamenôt* als Reimwort in 1789 aufgrund des altertümlichen Klangs (volles *ôn*-Verb wie im Ahd.) beseitigte und nun auch *nôt* nicht mehr unterzubringen wußte. Daß es hier hohe Bedeutung besitzt und geradezu als wichtigstes Indiz für eine Parodie von „Der Nibelunge Not" gewertet wurde, ist ihm sicherlich entgangen.

66 Es handelt sich um eine – geschickt verdeckte – Heischeformel (vgl. Anm. 39).

67 Die Schilderung der Gerichtsszene wird von P ohne viele Änderungen wiedergegeben, wie die Fragmente erkennen lassen. An dieser Stelle tilgt der Bearbeiter freilich den ‚terminus technicus' *gebrehte*, der das übliche Geschrei (vgl. Anm. 62) bezeichnet, genau wie er in V. 1870 offenkundiges *daz ist reht* mit *iz ist also* austauscht und so wiederum den Rechtsvorgang durch eine Banalität ersetzt.

68 *Salerne*, also Salerno, galt im Mittelalter als Hochburg medizinischer Wissenschaft. In Hartmanns „Der arme Heinrich" glaubt der Titelheld, nur dort noch Hoffnung auf Genesung zu haben.

69 Vgl. Nachwort, S. 180.

70 Nach Baesecke ist hier *den van* zu ergänzen, was der Bearbeiter aus metrischen Gründen gestrichen hat. Das – weltliche – Fahnenlehen steht im Gegensatz zum – geistlichen – Zepterlehen.

71 Die Tücke des Fuchses wird hier deutlich, wenn man die Stelle – wie es U. Schwab erläuterte (Zur Datierung und Interpretation des Reinhart Fuchs, S. 48) – als Anspielung versteht. Die Stiftungsurkunde für die Abtei Erstein enthält nämlich die Auflage, daß dort ständig für Kaiser und Reich gebetet werde, was Vrevel natürlich ein hoher Anreiz ist. Um so schlimmer

Reinharts Hohn, der von vornherein damit rechnet, daß das Kamel aus der antistaufisch gesinnten Abtei vertrieben wird.

72 Die zahlensymbolisch verhüllte Aussage über Vrevels Tod ist nicht leicht deutbar: bei der Neunteilung könnte man von der Neunzahl der Tiere ausgehen, die durch des Königs Schuld Reinhart zum Opfer fielen; die Dreiheit dürfte dann die drei ‚Hauptsünden' des Königs widerspiegeln: Ameisenkampf, Gerichtsversäumnis und Bund mit Reinhart.

73 Das Epitheton *guot* bei Reinhart in der letzten Zeile des Epos – 2248 a und b sind lediglich floskelhafter Schreiberzusatz und 2249 ff. Zusatz des Bearbeiters – kann nur ironisch aufgefaßt werden. Es steht vermutlich in einem parodistischen Verhältnis zur Legende, in der die Heiligen mit diesem Attribut (in der Bedeutung ‚fromm, heilig') bedacht sind, wie es allenthalben im „Passional" belegbar ist.

Nachwort

Der mittelhochdeutsche *Reinhart Fuchs (RF)*, am Ende des 12. Jahrhunderts von Heinrich dem *glîchezâre* verfaßt, ist heute kaum bekannt. In gebildeten Laienkreisen dürfte er mit dem auf französisch-niederländische Tradition zurückgehenden niederdeutschen *Reinke de vos (RdV)* von 1498 verwechselt werden, der selbst wiederum seine Fortwirkung vermutlich Goethe verdankt, der in Zeiten politischer Unsicherheit (1794) im Ränkespiel des Tierreichs eine ebenso verwandte wie heilsame Vergegenwärtigung seiner eigenen Lebenssituation erblicken konnte. Schon diese Stichworte lassen erkennen, daß hier weite Zusammenhänge bestehen, Zusammenhänge im Blick auf die Genese bzw. Entfaltung eines Motivschatzes, im Blick auf gemeinsame und doch wieder immerfort variierte Grundvorstellungen weltlichen Treibens, die sich zu ihrem Ausdruck einer gleichen Bildwelt bedienen. E. Trunz schrieb deshalb in seiner Ausgabe des Goetheschen *Reineke Fuchs* mit Recht: „*Reinke de vos* ist mittelalterliche Volksdichtung. Es gibt hier keinen eigentlichen Dichter, sondern nur Bearbeiter. Jeder nimmt den Stoff schon geformt auf und formt ihn um, so wie er es für seine Zeit zum besten findet" (Hamburger Ausgabe, Bd. 2, S. 597).

Mittelalterliche Volksdichtung: gewiß gibt es die Fuchsepik erst seit dem 12. Jahrhundert; um es genauer zu sagen: sie verdankt ihre Entstehung einem Pierre de Saint-Cloud, der um 1176 begann, längst bekannte Tiergeschichten dem epischen Zusammenhang des Kriegs zwischen Fuchs und Wolf einzufügen. Sosehr er dabei – wie wir noch sehen werden – einen völlig neuen Weg eröffnete, so hat er doch keineswegs von vorn angefangen. Vor ihm waren bereits zwei große lateinische Tierepen hervorgetreten: die anonyme *Ecbasis captivi* und der *Ysengrimus* des Magister Nivardus, beide der Mitte des 12. Jahrhunderts angehörend, in merkwürdiger Übereinstimmung wie ihre ersten Fortsetzungen alle dem

Raum des alten Mittelreichs entstammend. Damit sind wir aber jenseits der Dichtung in der Volkssprache – anderes kann Volksdichtung im Mittelalter schlechterdings nicht bedeuten – bei der Dichtung der Gelehrten, was wiederum gleichzusetzen ist mit Geistlichen und einen beinahe unbegrenzten Traditionsstrom bis in die Antike bedeutet. Freilich spielte in diesen Epen der Fuchs gerade noch nicht die entscheidende Rolle: in der *Ecbasis captivi* wie im *Ysengrimus* steht jeweils der mönchische Wolf im Vordergrund und führt damit in die Welt klerikaler Heuchelei bzw. travestierender Darstellung von Frömmigkeit und Liturgie. Vor allem aber: die älteren Epen sprechen nicht nur eine andere Sprache, unterscheiden sich nicht nur nach ihrer Figurenkonstellation, sondern gehören einer völlig anderen Formenwelt an. Im spätantiken Versgewand stehen sie im Zusammenhang der spezifisch mittelalterlichen Form der Symbolik, die durch ihren an bestimmte Figuren und Handlungen gebundenen Verweisungscharakter ausgezeichnet ist. In der *Ecbasis* wird dies durch den Autor ausdrücklich schon im Titel (er lautet vollständig *Ecbasis cuiusdam captivi per tropologiam*) als ,tropologische' Darstellung formuliert und kommt am besten in der Rahmenerzählung zum Ausdruck, wo das entlaufene und vom Wolf bedrohte Schäfchen auf den nur in seinem Kloster vor den Gefahren der Welt sicheren Mönch zurückbezogen ist; im *Ysengrimus* geht es um die Auslegung des Gegensatzes von Torheit und Weisheit auf dem Hintergrund des dem unentrinnbaren Schicksal verfallenden blindgefräßigen Wolfs.

Aber auch mit diesen Epen ist der Traditionsstrom keineswegs vollständig genannt. Tierszenen begegnen in Fabelgestalt im ganzen Mittelalter, wobei die durch das berühmte Romulus-Corpus vermittelten Aesopica neben neuen Erfindungen stehen; am Hof Karls des Großen benutzt man diese Produkte, um in kunstvoll verhüllter Form für Unterhaltung zu sorgen, und die ins Burleske gewendete Brunnenszene der Fuchsepen wird von Petrus Alfonsi ganz nüchtern als Predigtstück verwendet (Disciplina clericalis, Kap.

XXIII). Schließlich sind auf wieder andere Weise in den sogenannten Bestiarien, als deren klassischer Vertreter der *Physiologus* zu gelten hat, in langer Kette Tiere behandelt, deren Eigenschaften lediglich als Ansatzpunkt dienen, um sie heilsgeschichtlich auszudeuten, wobei etwa die Herrschergestalt des Löwen zur *figura Christi* wird. All dies, motiv- wie formgeschichtlich ein geradezu chaotisches Gewirr von Gestalten, lebt fort, befruchtet sich gegenseitig und läßt immer neue Erzeugnisse hervortreten. Kann es da verwundern, wenn ein witziger oder des Althergebrachten überdrüssiger Dichter im 14. Jahrhundert – der sogenannte König vom Odenwald – Tiere dazu benutzte, um ihre ‚tierischen' Eigenschaften und Produkte zu loben, so daß er bei der Henne das Eierlegen hervorhob?

Diese Andeutungen mögen den Blick freimachen für den uns beschäftigenden Text, für die wichtige Frage zunächst, an welcher Stelle im Koordinatensystem europäischer Tierdichtung innerhalb gut zweier Jahrtausende er steht und verstanden werden will. Dazu müssen wir noch einmal auf jenen Pierre de Saint-Cloud zurückkommen, dessen entscheidende Leistung erst jetzt voll hervortreten kann (vgl. dazu Jauß). Er war es, der – innerhalb der tradierten Figurenwelt der Tiere – Fuchs und Wolf jenseits fester Typik und ihrer Verweisungsmechanismen durch ihren Kriegsausbruch als Antagonisten einführte und damit ein episches Geschehen kreierte, das er im Sinne der Parodie auf die eben erfundene Ritterepik mit *âventiure* und Minne, mit höfischem Gebaren und sittlicher Wertung bezog. Indem er die Tiere zu Rittern machte, wurde der Fuchs zum schlauen Umwender aller höfischen Sitten und entlarvte so die eben erst kunstvoll errichtete höfische Welt mit ihrem Minne-Ideal als Schein. Und all dies konnte nun immer neu durchgespielt werden; immer neue Schliche konnte der Jongleur seinem Publikum erzählen, das die fragwürdigen Seiten seines Verhaltens nun belachen konnte. Die Branchen – so heißen die einzelnen Abenteuer – entwickelten sich zyklisch und erreichten in kurzem einen Umfang von mehr als 30 000 Versen, die unter dem gemeinsamen Namen *Roman de Renart (RdR)* überliefert sind.

Genau an dieser Stelle aber setzte Heinrich der *glîchezâre* an. Als Elsässer in jenem wichtigen Gebiet romanisch-deutschen Austausches lebend, wurde er wohl früh mit den neuen französischen Erzählungen vertraut und greift nun mit dem Stoff auch die neue Idee einer Episierung der bekannten Fuchsgeschichten im Sinne des höfischen Ritterromans auf – um ihr zugleich noch einmal eine entscheidende Wendung zu geben. Die epische Darstellung der Auseinandersetzung zwischen Wolf und Fuchs erhält jenseits immer neuer Streiche eine finale Struktur; der mögliche Abschluß durch das Gericht über den Fuchs, in der französischen Dichtung noch eine Szene neben anderen und durch das Entweichen des Angeklagten selbst wieder nur Keim neuer Fortsetzungen, wird nun unwiderruflicher Schlußpunkt, dem mit seiner neuen Wendung – dem Tod des Königs und damit dem Untergang des Hofs – nichts mehr folgen kann. War der *Roman de Renart* noch ein locker verbundenes Schwankkorpus, so formt der Elsässer aus dem gleichen Stoff zum erstenmal den eigentlichen Roman. Diese strukturelle Verschiebung hängt aber aufs engste mit einer Umwendung der Intentionen zusammen: an die Stelle parodistischer Szenen im Umkreis höfischen Lebensstils rückt eine satirische Darstellung, die die Verkehrtheit der Welt als warnendes Exempel vorführt.

Ein Blick auf den Aufbau unseres Werks kann dies verdeutlichen. Wie das französische Vorbild (Branche II bis Va, das Werk Pierres de Saint-Cloud und damit Ursprung des gesamten *RdR*) beginnt der *RF* mit vier Abenteuern, die den Fuchs in der Auseinandersetzung mit kleineren Tieren zeigen. Zunächst ist es die Hahnenepisode, bei der Reinhart in jene ergötzliche Szene im Hühnerhof des Meister Lanzelin eindringt und das eifrig über die bedrohliche Zukunft disputierende Hahnenehepaar Scantecler und Pinte mit der Realität konfrontiert. Die anfänglich geglückte Flucht des Hahns wird bald durch die List Reinharts zunichte gemacht, der den gutgläubigen Tölpel mit dessen Gesangsleidenschaft betört und schließlich beim Schopf nimmt. Freilich gelingt es jenem, trotz der hoffnungslosen Situation den Gegner selbst hinters Licht zu führen, indem er ihn seinerseits bei der Ehre packt und – während Reinhart den hinterherlaufenden Bauern auslacht – entflieht. Ähnlich wiederholt sich dies in den folgenden Abenteuern: Meise, Rabe und Kater werden mehr oder weniger erfolgreich attackiert, um schließlich dem Fuchs doch ein Schnippchen zu schlagen. Was jedoch im *RdR* als munteres Spiel begegnet, bei dem sich gespreiztes Gebaren oder Vertrauensseligkeit rächt und nur die gelungene Replik Erfolg bringt, ist im *RF* trotz gleicher Grundmotive schon mit anderen Akzenten versehen: Immer wieder klingt am Anfang der Begegnungen die rasch nahende *nôt* für denjenigen an, der sich mit dem *ungetriuwen* einläßt, dessen Verhalten von Anfang an als grundloser Betrug erscheint. So heißt es etwa im Raben-Abenteuer, als Reinhart den Käse schon vor dem Mund liegen hat, sich aber auch noch des törichten Spenders selbst bemächtigen will:

> done wande Reinhart niht,
> ern solde inbizin san ze stvnt.
> der kese viel im vur den mvnt.
> Nv horet, wie Reinhart,
> der vngetrewe hovart,
> warb vmb sines neven tot.
> daz tet er doch ane not.
>
> (V. 250–256)

Ganz anders hatte sich dies im *RdR* angehört:

> Li lecheres, qui estroz art
> Et se defrit de lecerie,
> N' en atoca onc une mie.
> Car encor, s' il puet avenir,
> Voldra il Tiecelin tenir.
>
> (II, V. 946–950)

(Der Schlecker, der vor Begierde brennt und sich verzehrt, rührte davon kein bißchen an. Denn er will, wenn möglich, noch Tiecelin fassen.)

Nicht nur der Gegensatz von Gaunerei *(RdR)* und bösem Betrug *(RF)* fällt hier auf; die Wendung *s'il peut avenir* der französischen Branche rückt auch die Handlung in die Nähe des Schwankes, während im mittelhochdeutschen Gedicht der Vers *daz tet er doch ane not* der Szene ihren typisch moralisierenden Charakter gibt.
Zurück zum Aufbau unserer Dichtung. Den ersten Abenteuern folgt jene Begegnung mit dem Wolf, die bei Pierre de Saint-Cloud allererst eine epische Welt zu begründen gestattet. Gerade gegenüber den Anfangsszenen mit ihrer relativen Unverbundenheit – Heinrich der *glîchezâre* stellt übrigens ohne viel Folgen das Kater-Abenteuer anders als im *RdR* hinter das Raben-Abenteuer – wird dies deutlich. Jetzt kommt es zu jenem Bündnisschluß zwischen Fuchs und Wolfsfamilie in der Gevatterschaft, die der Vereinigung von List und Stärke (V. 399) dienen soll. Damit ist aber ein Kräftespiel in Gang gebracht, das von vornherein die Unterlegenheit des Wolfs bedeutet, so daß der Dichter selbst von *Isingrines not* spricht, eine Formulierung, die sogar – im Blick auf *Der Nibelunge Not* – als Titel des ganzen Werks aufgefaßt wurde. Entscheidend ist dabei, daß Heinrich diese Szenen – es sind genau zehn – nicht nur, wie von der Tradition vorgegeben, inhaltlich einem Motivationszusammenhang einfügt, sondern daß er in ihnen seine großen Themen zur Geltung bringt: Minne und Mönchtum, Betrug und Torheit:

1. Bund und Werbung um Hersant (V. 385 ff.)
2. Schinken-Abenteuer (V. 449 ff.)
3. Abenteuer im Klosterkeller (V. 504 ff.)
4. Schwur aufs Wolfseisen (Lücke!)
5. Ehebruch Hersants (Lücke!)
6. Erneuerung des Bundes und Wolfstonsur (V. 635 ff.)
7. Aale-Abenteuer (V. 727 ff.)

8. Abenteuer am Klosterbrunnen (V. 823 ff.)
9. Schwur auf des Rüden Zahn (V. 1070 ff.)
10. Vergewaltigung Hersants (V. 1154 ff.)

Angeschlagen werden die Abenteuer durch den Bund, der am Beginn der sechsten Begegnung der Widersacher ausdrücklich erneuert wird (V. 670 ff.). Zuerst bringt er die verräterische Werbung um Hersant und damit die Minneszenen, dann Isengrins Mönchwerdung mit der tückischen Tonsur. Schinken- und Aale-Abenteuer stehen sich dann genauso gegenüber wie die Szenen im Klosterkeller bzw. am Klosterbrunnen, die beiden Schwüre und schließlich Ehebruch und Vergewaltigung Hersants. Man sieht also: Die *nôt* des Wolfs entspringt der Einlassung mit dem *ungetriuwen* Fuchs und macht die Folgen in jenen Daseinsbereichen sichtbar, die jedem Angriff zu trotzen schienen. Die eben erst entdeckte Minne zeigt sich ebenso verwundbar wie der geistliche Bezirk, wenn sie durch *untriuwe* bedroht sind. In der Auseinandersetzung mit dem *ungetriuwen* Reinhart muß der Wolf als Tor unterliegen, muß sich sein Wunsch des Zusammenlebens als Torheit erweisen, wie es die *nôt* als Ergebnis demonstriert.

Und genau dieser Zusammenhang ist es schließlich, der auch im dritten und letzten Teil der Dichtung noch einmal von anderer Seite angeschlagen wird. Die Begegnung mit dem *ungetriuwen* Reinhart zeigt, daß auch das Recht, wie es von König Vrevel vertreten wird, sich nicht behaupten kann, sondern ebenfalls der *nôt* anheimfällt. Dabei ist die neue Handlung eng mit der alten verknüpft: rein äußerlich, indem die Untaten gegen Isengrin in einen Landfrieden gelegt werden (V. 1239), was nun geahndet werden muß; vor allem aber dadurch, daß König Vrevel ausdrücklich als Wahrer des Rechts jeder *kraft* – wie sie in Isengrin verkörpert war – überlegen ist:

Ditz geschah in eime lantvride,
den hatte geboten bi der wide

ein lewe, der was Vrevil genant,
gewaltic vber daz lant.
keime tier mochte sin kraft gefrvmen,
izn mveste vur in zv gerichte kvmen.
(V. 1239–1244)

Wenn aber dem Wolf Leichtgläubigkeit und Gier zum Verhängnis wurden, so ist Vrevel durch die Schuld bestimmt, die er mit der hybriden Zerstörung der Ameisenburg auf sich geladen hat. Indem er zur Bekämpfung der darauf folgenden Krankheit sich mit Reinhart einläßt, ist auch sein Untergang gewiß. Dabei wird sichtbar, wie wenig das Recht triumphiert, wenn sein Vertreter selbst es preisgibt. Die tradierten Motive dienen dann der Entfaltung dieser Grundsituation: Der einberufene Gerichtstag beschließt vor der Verurteilung des Beklagten seine dreimalige Ladung; die ersten beiden Boten fallen ihr zum Opfer. Der Bär Brun wie der Kater Diepreht geraten in die Falle, die ihnen Reinhart stellt. Während dies im *RdR* aber jeweils auf die Torheit und Gier der Leckermäuler bezogen ist, die über ihrem Eifer auf Honig bzw. Mäuse ihren Auftrag vergessen, signalisiert Heinrich der *glîchezâre* immer wieder das *leit*, das Reinhart dem König selbst antut, sofern er dessen Boten schmäht – einem König freilich, der selbst darüber schließlich hinwegsieht. Denn gerade diese Wendung ist es, auf die alles ankommt: Vrevels Unrecht. So werden wiederholt Warnungen eingefügt, die der König in den Wind schlägt; immer wieder bekundet er sein Einverständnis mit Reinharts Vorschlägen, die der Rache an dessen Gegenspielern dienen und auch noch die Fürsprecher treffen. Damit ist sein Tod durch den Gifttrank besiegelt.
Man sieht also, unter welchem Aspekt Heinrich die Fuchsgeschichten fruchtbar wurden, wie sie sich gegenüber einer lockeren Schwankkette einem epischen Zusammenhang mit strenger Finalität einordnen. Indem die Listen Reinharts als *ungetriuwe* Gesinnung ausgelegt werden, wird deutlich, wie jede Verbindung mit dem Fuchs in die *nôt* führt. Alle gro-

ßen Themen der Zeit sind von dieser Tendenz erfaßt: an vorderster Stelle das für die germanische Welt so grundlegende Treueverhältnis, wie es für den Bund von Fuchs und Wolf wesentlich ist und später noch einmal eindrucksvoll bei der Ameisenepisode (V. 1281 ff.) zur Geltung kommt; Minne und Mönchtum werden dann in den Isengrin-Szenen verkehrt, das Recht und die – gegenüber Isengrin verletzte – Gefolgschaftstreue schließlich in der Vrevel-Handlung; schon die ersten Abenteuer zeugen von diesem Zusammenhang. Während aber die Parodie höfischen Lebens immer wieder in Einzelszenen neu gestaltet wird, mußte die Entlarvung jener Macht der *untriuwe* ihre größte Stoßkraft in einer konsequent zu Ende geführten Handlung erhalten, mußte der unwiederholbare und unwiderrufliche Untergang Vrevels und seines Hofs zum eindringlichsten Zeichen der bestimmenden Grundabsichten werden. Damit ergibt sich ein Handlungsaufbau, der schließlich als Satire verstanden werden kann. Freilich wird dies erst im Blick auf das dichterische Verfahren im Ganzen sichtbar.
Um dies zu verdeutlichen, muß man die immer wieder hervorgehobene Sprachgestaltung beachten, die im Vergleich mit dem *RdR* meist als Unbeholfenheit ausgelegt wurde und für die die lange Zeit zu früh angesetzte Datierung eine Rolle gespielt hat; sogar als Argument für die Funktion des *RF* als Quelle des *RdR* ist sie herangezogen worden. Aufgrund der historischen Anspielungen, die uns noch beschäftigen werden, ergeben sich jedoch als Entstehungszeit die Jahre nach 1192, vermutlich sogar nach 1197 (Schwab). Damit gehört der *RF* aber keineswegs mehr der vorhöfischen Dichtung an, sondern bereits der frühen Ausbildung höfischer Erzählkunst in Deutschland: Zwischen 1183 und 1189 begründet Heinrich von Veldeke mit der Vollendung seiner *Eneit* die neue Epoche; bereits in die späten achtziger Jahre gehören die ersten Werke Hartmanns von Aue. Wenn sich die Anspielung auf den Nibelungenhort (V. 662) auf das *Nibelungenlied* – und nicht auf die ältere *Not* – bezieht, wären wir sogar schon in den Jahren um 1200. Aber auch

aus inneren Gründen spricht Entscheidendes gegen eine Einordnung in die frühhöfische Spielmannsepik, die von der Thematik ja nahe zu liegen scheint. Die Welt der Listen, die in ihr entfaltet wird und die sich ebenfalls um *triuwe* und *untriuwe* rankt, steht im vollen Gegensatz zum *RF*: während dort – wie etwa im *König Rother* – gerade der *getriuwe* Ritter auf Listen sinnt und schließlich zum Erfolg kommt, ist die List im *RF* ja umgekehrt einem verwerflichen Handeln zugeordnet und kann ganz und gar nicht mehr als jene neue Weltverbundenheit ausgelegt werden, die die Spielmannsepen gegenüber der geistlichen Literatur des 12. Jahrhunderts prägte.

Was zeichnet nun die Sprachgestaltung unseres Werks aus? Als markantestes Kennzeichen muß die Prägnanz des Erzählens auffallen, die sich in einem parataktischen Stil äußert, der auf jede Art von Ausschmückung etwa im Sinne der Situationskomik oder spannungserregender Schilderung verzichtet. Dafür ist jene Szene zwischen Brun und Reinhart ein gutes Beispiel, wo dieser den Königsboten von seinem eigentlichen Anliegen abbringt. Im *RF* heißt es dort:

> Reinhart sprach: ‚her capilan,
> nu suln wir inbizzen gan,
> so vare wir ze hove deste baz!'
> Reinhartis triwe waren laz.
> ‚Einen bvom waiz ich wol,
> der ist guotis honiges vol.'
> ‚nu wol hin, des gerte ih ie.'
> her Bruon mit Reinharte gie.
> (V. 1533–1540)

Dem entspricht im *RdR* eine komplette kleine Szene von 82 Versen, in der Reinhart alle Register seiner Verführungskünste zieht. Er spricht von seinem eben gehaltenen Mahl, geht auf die Hofsitten ein, wo nur die Reichen gut leben können, weil sie die Armen bestehlen und sogar ihre Dirnen damit beschenken, wobei er zuletzt geschickt das Stichwort vom Honig einfließen läßt. Die Reaktion Bruns lautet darauf:

„Nomine dame Cristum file"
Dit li ors, „por le cors saint Gile,
Cel meuls, Renart, dont vos abonde?
Ce est la chose en tot le monde
Que mes las ventres plus desire.
Car m'i menes, baux tres doz sire,
Por le cuer be, dec moie cope"!
Et Renart li a fet la lope
Por ce que si tost le descoit,
Et li chaitis ne s'apercoit,
Et il li trempe la corroie.

(I, 537–547)

(„Nomine dame Christum file", sagt der Bär, „Renart, woher habt Ihr denn soviel Honig? Nichts auf der Welt begehrt mein armer Bauch so sehr wie Honig. Liebster, teuerster Herr, bei Gott – Gott strafe mich –, führt mich doch dorthin!" Renart hat ihm eine Grimasse gezogen, weil er ihn so schnell täuschen kann, und der Arme bemerkt es nicht, und er führt ihn geschickt an der Nase herum.)

Dem folgt schließlich noch ein geschicktes Nachspiel um die vorgebliche Treulosigkeit Bruns, die diesen vollends – und mit Erfolg – in Sicherheit wiegen soll. All dies steht gegen jene 8 Verse des *RF*, die die List Reinharts ebenso wie die Gier Bruns auf ein Minimum an Aussage reduzieren, um im Grunde nur die Voraussetzung der Situation und ihr Ergebnis festzuhalten: die Treulosigkeit Reinharts und den promppten Hereinfall Bruns. Diese Treulosigkeit aber ist nicht – wie im *RdR* – durch die unmittelbar bedrohliche Situation motiviert, sondern wirkt selbstgenügsam, als ständig wirksames Element alles Handelns.

Ein weiteres Beispiel verdeutliche dies noch. Als Isengrin im Brunnen aufgefunden wird, wohin ihn Reinharts List gebracht hat, heißt es:

si zvgen die chvrben vmme,
Isengrin, der tvmme,
der wart schire vf gezogen.
in hatte Reinhart betrogen.
der priol hat in nach erslagen,
daz mvste Isengrin vertragen.
Reinhart tet im mangen wanc,
daz ist war, wa was sin gedanc,
daz er sich so dicke trigen lie? ...
(V. 983–991)

Die Prägnanz dieses Erzählstils beruht darauf, daß in rascher Folge Voraussetzung und Ergebnis geradezu im Schlagwechsel vorgeführt werden, ohne daß an eine Ausmalung der Situation im Blick auf die ihr innewohnende Komik gedacht wird: Isengrins Schicksal (V. 984 f.) beruht auf Reinharts Trug (V. 986); der beinahe erfolgte Tod (V. 987 f.) geht auf dessen List zurück (V. 989). Jeweils wechselt – bis in die grammatisch-syntaktische Formulierung verfolgbar – die Perspektive vom Betrüger zum Betrogenen und zeigt so, worauf es dem Dichter ankommt: in jeder Situation soll die Macht der *untriuwe* offenkundig werden. Damit verwandeln sich aber alle Handlungszüge in eine Darstellung von deren Erfolg und werden so warnendes Beispiel. Dem entspricht denn auch die angefügte Moral (V. 989–1004), die das Verhältnis von *untriuwe* und *nôt* reflektiert, indem sie auf Isengrins ‚Fall' zurückgreift.
Freilich ist es nicht die prägnante Sprache allein, die dem Werk Heinrichs des *glîchezâre* den Stempel aufdrückt. Im engen Zusammenhang mit einer solchen Kunst steht vor allem die Ironie, die oft lediglich im treffenden Wort zum Ausdruck kommt. Dies zeigt etwa die Diepreht-Szene noch ganz zu Beginn des Epos. Reinharts glücklich gelungene Flucht aus der Falle wird nämlich so kommentiert:

Reinhart sich niht sovmte,
die herberge er rovmte,

in dvchte da vil vngemach.
der gebvr im iemerliche nach sach,
er begonde sich selben schelden,
er mvste mit anderm gvte gelden.
(V. 379–384)

Zwei Geschädigte gilt es darzustellen, wobei der erste Glück im Unglück hat: die mit der bedrohlichen Falle völlig unvereinbare Vorstellung der ungemütlichen *herberge* hebt im Understatement aber genauso die Pikanterie der Situation hervor wie der Vergleich Reinharts mit dem *gvte* in dem Augenblick, wo er längst aufgehört hat, als solches noch ausgenutzt werden zu können. Diese Darstellungsweise läßt sich immer wieder verfolgen. Die Opfer von Reinharts Listen werden von da aus ebenso verspottet (vgl. V. 1589 ff. oder V. 1729 ff.) wie die noch hoffnungsfrohen Kandidaten (vgl. V. 2106 ff. oder V. 2127 ff.). Damit beweist sich aber nur jeweils die Gewalt *ungetriuwer* Gesinnung, werden die Folgen einer Einlassung mit dessen Vertreter als Torheit entlarvt bzw. vorweggenommen.
Wenn so die Ironie zur Gesamttendenz des *RF* gehört, so gilt dies ebenfalls von der Parodie. Auch hier könnte man auf einzelne Worte verweisen, die erst von da aus recht verstanden werden können, etwa wenn der Gesang des Hahns den Wald erschüttert, das *erdiezen* aber ganz zur Heldenepik gehört und so mit dem komischen Kontrast die Aufgeblasenheit des Hahns als Voraussetzung für den nahen Fall erscheint. Ebenso ist Isengrins törichte *wîse* im Klosterkeller zu verstehen, die ja nur die Brüder herbeiruft, mit ihrem Bezug zum Minnesang aber wiederum die Lächerlichkeit der Pose entlarvt. Wenn dabei jeweils die völlig unangemessene Erfüllung höfischer Vorstellungen wesentlich als Ergebnis füchsischer *untriuwe* erscheint, so beherrscht dieser Tenor ganze Erzählabschnitte, die in ihrem parodistischen Bezug wieder der Erläuterung jener Macht dienen. Vor allem die Minneszenen gewinnen von daher ihre Bedeutung, da Reinhart als der falsche Minner zeigt, daß sich auch diese

Welt sogleich verkehrt, wenn sich der *ungetriuwe* ihrer für seine Zwecke bedient. Das demonstriert vielleicht am eindrucksvollsten die Werbung des Fuchses um Isengrins Gemahlin (V. 423 ff.), bei der jener das Minnevokabular mit vollen Registern zieht und doch nur sein perfides Ziel verfolgt. Das gleiche gilt für die Mönchsszenen. Isengrin wird überrumpelt, weil er dem mönchischen Gebaren Reinharts Glauben schenkt, der aber dieses nur als Maske benutzt, um sie seinen Zwecken dienstbar zu machen. Weder Minne noch Mönchtum sind also selbst Ziel des Angriffs; ihre Verkehrung zeigt nur, welche Bedrohung von Reinharts Trug ausgeht, und dient so wiederum der Warnung.
Dieser überall greifbare Warncharakter gewinnt schließlich durch Anspielungen auf politische Ereignisse der Ära Barbarossas und Heinrichs VI. noch entscheidende Akzente und läßt so den Raum erkennen, dem das kleine Werk – was seinen Verfasser anlangt – entstammt und in dem es – was sein Publikum betrifft – offenbar seine Wirkung hatte (vgl. dazu Schwab). Das Kamel von Thuschalan führt auf die perfide Politik Heinrichs VI. hin, der 1191 das kaisertreue Tusculanum dem Papst preisgegeben hatte. Die Belohnung mit Erstein erinnert an die tags zuvor – freilich auf die Dauer vergeblich – vollzogene Verschenkung dieses ehemaligen Reichsstifts, das schon von Barbarossa unbillig behandelt worden war, als er u. a. den Horburger – er wird V. 1024 ff. eigens dafür verspottet – unterstützte. Etwas schwieriger ist die böhmische Belehnung einzuordnen: Sie spiegelt wohl einen der vielen Mißerfolge der damaligen Reichspolitik wider. Man sieht also, daß der Dichter einem antistaufischen Kreis angehörte, bei dem er für seine Seitenhiebe auf Verständnis und Gelächter rechnen konnte. Sein Beiname *der glîchezâre*, Spielmann also, scheint jedoch dem scharfzüngigen Kritiker seiner Zeit und Welt als willkommene Verdekkung seiner wahren Absichten zustatten gekommen zu sein.
Alles zusammengenommen zeigt sich, um was es dem *glîchezâre* ging, als er die französischen Schwänke aufgriff: Sie wurden ihm zum Gegenstand einer Entlarvung der Vorgänge

um *ungetriuwez* Verhalten und sollten so der Warnung dienen. Dieser Tendenz dürfte schließlich die Bezeichnung Satire angemessen sein, und zugleich wird deren spezifisch mittelalterliche Möglichkeit sichtbar. Während die ausgeprägte Parodie der französischen Dichtungen die Komik der Situation aufdeckt und von da aus die Dinge in ihren wahren Dimensionen vorführt, ordnet sich in Heinrichs Werk alles der bestimmenden Warnabsicht zu, die den Mechanismus *ungetriuwer* Gesinnung und törichten Verhaltens immer im Blick auf das fatale Ergebnis erläutert und so alle parodistischen und komischen Elemente letzten Endes dieser Tendenz unterordnet – um nicht zu sagen: opfert. Damit aber rechtfertigt sich noch einmal Heinrichs Erzählstil, dessen eigentümlich rauhe Prägnanz von den französischen Schwänken so sehr absticht. Die Tradition hat sich freilich gegen ihn entschieden: während sein Werk mehr oder weniger der Vergessenheit anheimfiel, findet die Dichtung Pierres de Saint-Cloud und seiner Nachfolger ihre schönste Fortsetzung im mittelniederländischen *Van den Vos Reynaerde*, der selbst wiederum im niederdeutschen *Reinke de vos* und schließlich durch Goethe eine immer neue Ausgestaltung gefunden hat. Allerdings darf der *glîchezâre* für sich beanspruchen, die stofflich einschneidendste Neuformung vorgenommen zu haben. Daß das Publikum an dem düsteren Warnstück weniger Gefallen fand als an den heiteren Schelmenstreichen und glänzenden Paraden der französischen Tradition, wird man leicht begreifen.

Literaturhinweise

1. Texte (mit Abkürzungen)

Ecbasis cuiusdam captivi per tropologiam. Hrsg. von K. Strecker. Hannover 1935. (Separatedition der Monumenta.)

Johann Wolfgang Goethe: Reineke Fuchs. Hrsg. von E. Trunz. In: Goethes Werke (Hamburger Ausgabe). Bd. 2. Hamburg [5]1960. S. 285 ff.

Das mittelhochdeutsche Gedicht vom Fuchs Reinhart (RF). Nach den Casseler Bruchstücken und der Heidelberger Hs. Cod. pal. germ. 341 hrsg. von G. Baesecke. 2. Aufl. bes. von I. Schröbler. Halle (Saale) 1952. (ATB 7.)

Der Reinhart Fuchs des Elsässers Heinrich. Unter Mitarb. von K. von Goetz, F. Heinrichvark und S. Krause hrsg. von K. Düwel. Tübingen 1984. (ATB 96.)

Le Roman de Renart (RdR). Übers. und eingeleitet von H. Jauß-Meyer. München 1965. (Klassische Texte des romanischen Mittelalters in zweisprachigen Ausgaben 5.)

Reinke de vos (RdV.) Nach der Ausgabe von F. Prien hrsg. von A. Leitzmann, mit einer Einl. von K. Voretzsch. 3., durchges. Aufl. mit Vorwort von W. Steinberg. Halle (Saale) 1960. (ATB 8.)

Reineke Fuchs. Das niederdeutsche Epos »Reynke de vos« von 1498. Hrsg. von K. Langosch. Stuttgart 1967. (Reclams Universal-Bibliothek Nr. 8768 [4].)

Van den Vos Reynaerde. I: Teksten, diplomatisch uitgegeven naar de bronnen vóór het jaar 1500 door W. Gs Hellinga. Zwolle 1952.

Ysengrimus. Hrsg. und erkl. von E. Voigt. Halle (Saale) 1884.

2. Literatur

Arendt, G.-H.: Die satirische Struktur des mittelniederländischen Tierepos ‚Van den Vos Reynaerde'. Diss. Köln 1965.

Baesecke, G.: Heinrich der Glichezare. In: Zeitschrift für deutsche Philologie 52 (1927) S. 1–22.

Düwel, K.: Reinhart/Reineke Fuchs in der deutschen Literatur. In: Michigan Germanic Studies 7, 2 (1981) S. 233–248.

Düwel, K.: Zum Stand der *Reinhart Fuchs*-Forschung. In: Epopée animale. Fable. Fabliau. Actes du IVe Colloque de la Société Internationale Renardienne. Éd. par G. Bianciotto et M. Salvat, Paris 1984. S. 197–213.

Düwel, K.: Zur Jägerei im ‚Reinhart Fuchs'. In: Philologische Untersuchungen. Festschrift für E. Stutz. Hrsg. von A. Ebenbauer. Wien 1984. S. 131–150.

Fasbender, C.: Pfaffensatire im Fuchsepos? Bemerkungen zum *Reinhart Fuchs* des Elsässers Heinrich. In: Archiv für das Studium der neueren Sprachen und Literaturen 149 (1997) S. 78–89.

Flinn, J.: Le Roman de Renart dans la littérature française et dans les littératures étrangères au Moyen Âge. Paris 1963.

Foulet, L.: Le Roman de Renart. Paris 1914.

Göttert, K.-H.: Die Spiegelung der Lesererwartung in den Varianten mittelalterlicher Texte (am Beispiel des *Reinhart Fuchs*). In: DVjs 48 (1974) S. 93–121.

Göttert, K.-H.: Tugendbegriff und epische Struktur in höfischen Dichtungen. Heinrichs des Glîchezâre Reinhart Fuchs und Konrads von Würzburg Engelhard. Köln u. Wien 1971.

Jahn, B. / Neudeck, O. (Hrsg.): Tierepik und Tierallegorese. Frankfurt a. M. 2004.

Jauß, H. R.: Untersuchungen zur mittelalterlichen Tierepik. Tübingen 1959.

Kuehnel, I. S.: An annotated bibliography of *Reinhart Fuchs* literature. Göppingen 1994.

Kuehnel, I. S.: Reinhart Fuchs. A gendered reading. Göppingen 1997.

Linke, H.: Form und Sinn des ‚Fuchs Reinhart'. In: Festschrift B. Horacek. Wien 1974. S. 226–262.

Schilling, M.: Vulpekuläre Narrativik. Beobachtungen zum Erzählen im *Reinhart Fuchs*. In: ZfdA 118 (1989) S. 108–122.

Schwab, U.: Zur Datierung und Interpretation des Reinhart Fuchs. Mit einem textkritischen Beitrag von K. Düwel. Neapel 1967.

Spiewok, W.: ‚Reinhart Fuchs'-Fragen. In: Wissenschaftliche Zeitschrift der Ernst-Moritz-Arndt-Universität in Greifswald 13 (1964) S. 281–288.

Wehrli, M.: Vom Sinn des mittelalterlichen Tierepos. In: German Life and Letters N. S. 10 (1956/57) S. 219–228.

Weidenkopf, S.: Die Symbolstruktur des Wegs des Fuchses Reinhart. In: Third international beast epic, fable and fabliau Colloquium. Ed. by J. Goossens and T. Sodmann. Köln/Wien 1981. S. 496–516.

Inhalt